DO BESTIAL AO GENIAL

Paulo Buchsbaum & André Buchsbaum

DO BESTIAL AO GENIAL

FRASES DA POLÍTICA

Ediouro

Do bestial ao genial - frases da política

Capa
Julio Moreira

Imagem de capa
Aroeira

Ilustrações
Fernando Romeiro

Revisão
Rita Godoy

Produção editorial
Cristiane Marinho

CIP - BRASIL. CATALOGAÇÃO-NA-FONTE
SINDICATO NACIONAL DOS EDITORES DE LIVROS, RJ

D66 Do bestial ao genial : frases da política /
[organizadores]Paulo Buchsbaum e André Buchsbaum. -
Rio de Janeiro : Ediouro, 2006
il.
ISBN 85-00-02075-X
1. Ciência política - Máximas, citações, etc. 2. Brasil -
Política e governo - Máximas, citações, etc. I. Buchsbaum,
Paulo, 1960-. II. Buchsbaum, André.

06-3507. CDD 320
CDU 32

06 07 08 09 10 8 7 6 5 4 3 2 1

Rua Nova Jerusalém, 345 – Bonsucesso
Rio de Janeiro – RJ – CEP 21.042-235
Tel.: (21) 3882-8200 – Fax: (21) 3882-8212/3882-8313
www.ediouro.com.br

PAULO BUCHSBAUM

Dedico esse livro à minha família
(esposa Helena e filha Diana) por tolerar
minha dedicação, "sem jamais perder a ternura".

ANDRÉ BUCHSBAUM

Dedico este livro aos meus dois
outros irmãos: Marcio Buchsbaum, pelo apoio
em todas as horas, e a Arthur Buchsbaum,
pelos nossos longos papos filosóficos.

**Que o futuro do Brasil nos dê
menos frases e mais futuro!**

SUMÁRIO

Introdução

Que tal passear no cenário da política, cada vez mais presente nas nossas vidas, por intermédio dos seus melhores atores: os próprios políticos. Com um elenco contendo nomes como Lula, Alckmin, FHC, Sarney, Brizola, Ciro, Serra e Collor, quem precisa mais?

Assim, a primeira parte do livro é toda escrita por essa gente. Isso traz muita diversão e, muitas vezes, uma amarga reflexão, pois os mesmos personagens que nos divertem tanto são também os que interferem em nosso destino!

O Ministério da Saúde adverte: algumas frases de políticos que estão no livro são realmente fortes. Nos casos mais graves, cita-se a fonte utilizada em detalhe.

O livro navega entre tolices bestiais, reflexões relevantes, gafes, o mais puro humor, às vezes involuntário, insultos, ameaças, raposices políticas, causos, até piadas e, às vezes, a mais absoluta e deslavada cara-de-pau.

O foco principal da primeira parte do livro envolve o período mais recente da história brasileira, incluindo a epopéia de Getúlio, o longo regime militar que se encerrou com Figueiredo, a animação das Diretas Já, muitos pacotes na era Sarney, a ascensão rápida e a queda ainda mais rápida de Collor, FHC com suas privatizações e o Plano Real, e o Lula, trazendo o PT para o poder.

A primeira parte apresenta também um lado internacional, trazendo figuras como Hitler, Mussolini, Churchill, etc. Um reforço de peso é o presidente norte-americano George W. Bush, com um repertório tão impressionante de bobagens, que nos Estados Unidos lançaram-se livros contendo apenas os, assim chamados, "bushismos".

A segunda parte do livro contém frases ligadas ao mundo político, direta ou indiretamente. Aí se incluem temas como capitalismo, economia, Brasil, Estados Unidos, sociedade, ecologia, etc.

Então o elenco muda. Saem quase totalmente de cena os políticos e entram "craques" como Millôr, Jô Soares, Barão de Itararé, Castelo, Woody Allen, Voltaire e muito mais. Há muitas frases engraçadas, irônicas, cínicas ou até "tristemente" realistas sobre o nosso mundo.

Há um capítulo com frases ligadas a tudo que é típico na política (autoritarismo, retórica, liderança, etc.) e outro com frases sobre os papéis positivos (solidariedade, atuação política, etc.) e negativos (alienação, submissão, passividade, etc.) que cada um de nós pode exercer na sociedade.

A pesquisa feita para a confecção deste livro foi bastante vasta e envolveu muitos livros, jornais e revistas, incluindo um levantamento sistemático de 22 anos da revista *Veja*, desde 1984, ano do movimento das Diretas Já. Além disso, a Internet representou para o livro um manancial inesgotável.

Como o livro anterior, *Frases geniais – que você gostaria de ter dito*, a organização em capítulos e assuntos foi cuidadosa, garantindo que temas parecidos fiquem próximos, para se tornar uma leitura agradável. Na parte dedicada aos políticos, dividiram-se as frases pelo seu "clima"; assim há uma seção de bobagens, outra só de gafes, um capítulo inteiro só de insultos, etc.

Tomou-se muito cuidado, durante o processo seletivo, de, literalmente, não tomar nenhum partido. No entanto, é natural que o livro contenha mais frases referentes ao período recente, mais vivo na memória de todos. A vidraça da vez é sempre quem está no governo.

Ao folhear esse livro, o leitor pode ter um forte sentimento de que, no Brasil, nos últimos quarenta anos, muita coisa mudou, mas continuamos a ter muito do mesmo! O livro cumpre o papel de resgatar um pouco da memória do Brasil, por meio de suas frases mais significativas.

Sempre que necessário para o entendimento da frase, colocou-se junto uma explicação, muitas vezes situando-a no tempo. Uma breve biografia do autor da "pérola" é apresentada junto à frase, satisfazendo na hora a curiosidade do leitor.

A autoria das frases foi, sempre que possível, cuidadosamente checada. No entanto, em um trabalho dessa natureza, é normal que restem algumas imprecisões. Pedimos antecipadamente desculpas por qualquer eventual falha.

Nós nos divertimos bastante fazendo *Do bestial ao genial – frases da política* e esperamos que você se divirta da mesma forma lendo-o. Além disso, é legal que o livro sirva de inspiração para se refletir um pouco sobre tudo isso que nos cerca, nos dois sentidos.

Para dar um gostinho, uma curta e deliciosa história, onde se mistura "malandragem" e ironia:

> FHC e Bill Clinton chegaram a ter uma relação bem estreita, durante os governos FHC no Brasil e Clinton nos Estados Unidos.
>
> Em visita ao Brasil em 1997, Clinton enfrentava uma fila de políticos que haviam pedido para cumprimentá-lo. Entediado, FHC fazia apresentações sarcásticas, com expressão absolutamente séria:
>
> – Presidente, este é o Olavo Drummond, prefeito de Araxá, de quem lhe falei.
>
> Clinton, que nunca sequer tinha ouvido falar de Araxá, captava imediatamente a deixa:
>
> – Ah, então este é o senhor Drummond! Admiro as suas realizações, prefeito. Muito prazer em conhecê-lo.
>
> (Extraído de 3.000 dias no Bunker de Guilherme Fiuza)

Muitos risos, às vezes doídos, como disse Verissimo sobre esse livro, estão nas próximas páginas. Aproveite ...

Parte 1

É o fim da picada!

Ninguém merece!

Se você quiser fazer um favor a seus filhos, dê um tiro na cabeça.

Num programa de TV, ao lhe perguntarem qual seria a melhor saída para um devedor do antigo sistema de financiamento da casa própria do governo (*Veja* de 26/12/84).

Affonso Pastore – *Brasileiro (1939-) – Economista, presidente do Banco Central (1983-1985).*

Eu dava um tiro na cuca.

Perguntado por um garoto sobre o que faria se seu pai ganhasse o salário mínimo (1979 – *Almanaque Terra*).

João Baptista Figueiredo – *Brasileiro (1918-1999) – Militar, presidente do Brasil (1979-1985).*

Marina, essa coisa de meio ambiente é igual a um exame de próstata: não dá pra ficar virgem toda a vida. Uma hora eles vão ter que enfiar o dedo no cu da gente. Então, companheira, se é pra enfiar, é melhor que enfiem logo.

Numa audiência com a ministra do Meio Ambiente, Marina Silva, relativa a problemas ambientais que estão interferindo em futuras obras do governo (De *Viagens com o Presidente* – 2006)

Luiz Inácio Lula da Silva – *Brasileiro (1945-) – Político, fundador do PT, atual presidente do Brasil, desde 2003.*

Lamento que o Luizinho esteja sentado. Como ele é baixinho, não consegue botar o pé no chão. Fica com as perninhas penduradas na cadeira.

No Encontro Nacional dos Vereadores do PT, referindo-se ao deputado federal petista Professor Luizinho de São Paulo (*JB Online* de 26/07/03 e *Lulala.com.br*).

Luiz Inácio Lula da Silva

Eu estou com uma dor no pé, mas não posso nem mancar, pra imprensa não dizer que eu estou mancando porque estou num encontro com os companheiros portadores de deficiência.

Para os candidatos a vaga na Paraolimpíadas de Atenas (*Unifolha* – Campo Grande-MS de 02/12/03).

Luiz Inácio Lula da Silva

Estou vendo Arnaldo Godoy sentado, tentando me olhar, mas ele não pode me olhar porque ele é cego. Estou aqui à tua esquerda, viu, Arnaldo! Agora, você está olhando pra mim...

Referindo-se a Arnaldo Godoy, vereador petista de Belo Horizonte, no Encontro Nacional dos Vereadores e Deputados Estaduais do PT (*JB Online* de 26/07/03).

Luiz Inácio Lula da Silva

Não há razão para pedir desculpas porque houve problemas localizados.

O INSS suspendeu em 03/11/03, sem aviso prévio, o pagamento dos benefícios das pessoas com mais de 90 anos e que recebem há mais de 30 anos. Elas teriam que se recadastrar nos postos do INSS para voltar a receber. Isso causou muitas confusões, filas, protestos e uma morte em São Paulo. O governo voltou atrás alguns dias depois (07/11/03 no *Bom-Dia Brasil* da *TV Globo*).

Ricardo Berzoini – *Brasileiro (1960-) – Presidente do PT, ex-ministro da Previdência Social e do Trabalho do governo Lula.*

Se cuida!

Staub, não acorde o demônio que tem em mim, porque a vontade que dá é de fechar esse Congresso e fazer o que é preciso.

Frase que teria sido dito por Lula, em um jantar com empresários, para Eugenio Staub, presidente da Gradiente, quando perguntado como pretendia fazer para passar as novas reformas, em um eventual segundo mandato (15/09/06)

Luiz Inácio Lula da Silva – *Brasileiro (1945-) – Político, fundador do PT, atual presidente do Brasil, desde 2003.*

Pediu para matar, matar. Por quê? Porque ele pensava que eu era um matador.

Dizendo, num especial da Rede Bandeirantes, que Paulo Maluf lhe pediu que matasse Tancredo Neves, então candidato da oposição à presidência nas últimas eleições indiretas (*Veja* de 09/02/05).

Newton Cruz – *Brasileiro (1924-) – General da reserva, ex-chefe do SNI.*

Uma só palavra e faço com que ele vá para a cadeia.

Testemunha ouviu ela falar isso com parentes, ao ver uma foto de Collor com uma mulher, após a separação do casal (*IstoÉ Gente* de 24/10/05).

Rosane Collor de Mello – *Brasileira (1963-) – Ex-primeira-dama, atualmente separada de Collor.*

Tá louco?

O mercado que se lixe.

Em um jantar como candidato à presidência, com banqueiros e empresários (*Época* de 31/07/06).

Ciro Gomes – *Brasileiro (1957-) – Ministro da Integração Nacional de Lula (2003-2006) e ministro da Fazenda de Itamar (1994-1995), governador do Ceará (1991-1994), ex-candidato à presidência.*

A eleição direta é uma piada.

No ano da campanha das Diretas Já (*Veja* de 26/12/84).

Emílio Garrastazu Médici – *Brasileiro (1905-1985) – Militar, presidente do Brasil no regime militar (1969-1974).*

Nós podemos economizar 3 milhões de toneladas de arroz se pelo menos 150 milhões de pessoas adotarem o jejum.

Ao povo de seu país, numa proposta para superar a falta de alimentos (*Veja* de 15/07/98).

Jusuf Habibie – *Indonésio (1936-) – Ex-presidente da Indonésia.*

Gente fina é outra coisa

Porque a Suíça não tem presidente da República. (...) É só um aviso aí para esses petistas furibundos. Tem que fazer perguntas com um pouco mais de cuidado pra largar de ser burro.

A um ouvinte de uma rádio baiana que comentou com Ciro que dava a impressão de que ele iria presidir a Suíça. Só que Ciro estava errado porque a Suíça tem mesmo presidente (2002).

Ciro Gomes – *Brasileiro (1957-) – Ministro da Integração Nacional de Lula (2003-2006) e ministro da Fazenda de Itamar (1994-1995), governador do Ceará (1991-1994), ex-candidato à presidência.*

O Fleury é um aborto da natureza.

Fleury foi ex-governador de São Paulo.

Ciro Gomes

Uma vez agredido, este governo jamais oferecerá a outra face. Bateu, levou.

No governo Collor (1990).

Cláudio Humberto – *Brasileiro (contemporâneo) – Jornalista, colunista, porta-voz do governo Collor.*

Não, só na sua.

A uma repórter que lhe perguntou se mexeria na poupança novamente caso eleito presidente (*Veja* de 24/06/98).

Fernando Collor de Mello – *Brasileiro (1949-) – Político, empresário, presidente do Brasil (1990-1992), cargo do qual foi afastado por* impeachment.

A constituição é como as virgens. Foi feita para ser violada.

Getúlio Vargas – *Brasileiro (1883-1954) – Presidente entre 1930-1945 e 1951-1954.*

É para abrir mesmo. Quem quiser que não abra eu prendo e arrebento.

Confirmando a abertura política.

João Baptista Figueiredo – *Brasileiro (1918-1999) – Militar, presidente do Brasil (1979-1985).*

Durante muito tempo o gaúcho foi gigolô de vaca.

João Baptista Figueiredo

Prefiro cheiro de cavalo a cheiro de povo.

João Baptista Figueiredo

Todo povo é uma besta que se deixa levar pelo cabresto.

João Baptista Figueiredo

Não me perdoam por ter chegado ao poder passando por cima do cadáver de Tancredo Neves.

Em 1987.

José Sarney – *Brasileiro (1930-) – Político do PMDB, senador, presidente do Brasil (1985-1990).*

Tu me emprestaste as tuas calcinhas e eu saí com elas.

Ao responder a uma jornalista, que tinha perguntado como Brizola tinha fugido para o exílio, no golpe de 64 (*Revista Imprensa* de maio de 2003).

Leonel Brizola – *Brasileiro (1922-2004) – Político, governador do Rio de Janeiro (1983-1987 e 1991-1994) e do Rio Grande do Sul (1959-1963).*

Tem horas, meus caros, que eu tenho vontade de mandar o Kirchner para a puta que o pariu.

Referindo-se ao presidente da Argentina, em um jantar com cerca de 20 brasileiros no Japão, após alguns uísques, registrado no livro *Viagens com o Presidente* (2006)

Luiz Inácio Lula da Silva – *Brasileiro (1945-) – Político, fundador do PT, atual presidente do Brasil, desde 2003.*

O Chile é uma merda. O Chile é uma piada. Eles fazem os acordos lá deles com os americanos. Querem mais é que a gente se foda por aqui. Eles estão cagando para nós.

No mesmo jantar. De *Viagens com o Presidente* (2006)

Luiz Inácio Lula da Silva

Tem que acabar com essa porra de fazendeiros que toda hora vem pedir dinheiro ao governo.

No mesmo jantar. De *Viagens com o Presidente* (2006)

Luiz Inácio Lula da Silva

A Câmara dos Deputados não vai ser apenas o supositório do Poder Executivo.

Prometendo limitar a aprovação das medidas provisórias do governo Lula (2005).

Severino Cavalcanti – *Brasileiro (1930-) – Ex-presidente da Câmara, renunciou antes do processo de cassação por corrupção.*

Quanto preconceito!

As pessoas que defendem isso têm um desvio homossexual.

Ao criticar os separatistas do Sul.

Ciro Gomes – *Brasileiro (1957-) – Ministro da Integração Nacional de Lula (2003-2006) e ministro da Fazenda de Itamar (1994-1995), governador do Ceará (1991-1994), ex-candidato à presidência.*

Pessoas pobres não são necessariamente assassinas.

George W. Bush – *Americano (1946-) – 43º presidente (2001-). Ocupou o Iraque e o Afeganistão, após o atentado ao World Trade Center em setembro de 2001.*

Quem chega em Windhoek não parece que está em um país africano, poucas cidades do mundo são tão limpas, tão bonitas (...) A visão que se tem da África é que são todos pobres.

Em visita à Namíbia (2003).

Luiz Inácio Lula da Silva – *Brasileiro (1945-) – Político, fundador do PT, atual presidente do Brasil, desde 2003.*

A República da Namíbia não autoriza o homossexualismo em seu território. A polícia recebeu ordens de deter, encarcerar e deportar os homossexuais.

Sam Nujoma – *Namibiano (1929-) – Presidente da Namíbia (1990-2005).*

Vou embora do Brasil antes que esse negócio passe a ser compulsório.

Fazendo piadinha sobre o projeto de união civil de homossexuais, que não chegou a ser votado.

Urcisino Queiróz – *Brasileiro (contemporâneo) – Ex-deputado federal.*

Cara-de-pau

Estou indignado com o abandono da cidade.

A respeito da cidade que administrava (1997).

Celso Pitta – *Brasileiro (1946-) – Político, prefeito de São Paulo (1997-2000), indicado por Maluf.*

Só tenho elogio e admiração pelo modo como a polícia fez seu trabalho.

Comentando a ação antiterrorista dos policiais ingleses, que resultou na execução de um brasileiro, no metrô da capital londrina (2005).

Charles Clark – *Inglês (1950-) – Ex-ministro do Interior.*

Eu sou contra o calote e o "beijo" que o meu adversário quer dar na dívida externa e na dívida interna – aí incluída a caderneta de poupança.

No segundo turno, acusando Lula de planejar um calote na poupança, que ele mesmo daria depois.

Fernando Collor de Mello – *Brasileiro (1949-) – Político, empresário, presidente do Brasil (1990-1992), cargo do qual foi afastado por* impeachment.

Se um dia Lula for eleito, o que não vai acontecer, o PT vai ser oposição e nós vamos continuar sendo governo!

Francisco Dornelles – *Brasileiro (1935-) – Político, deputado, ministro do Trabalho de FHC.*

Uma única morte é uma tragédia; um milhão de mortes é uma estatística.

Responsável pela morte de milhões no período de seu governo na antiga União Soviética.

Joseph Stalin – *Russo (1879-1953) – Participou da Revolução Comunista de 1917 na Rússia e tornou-se um ditador.*

A minha diferença é que os outros mandam o dinheiro roubado para o exterior. O meu eu mando para o interior.

Do *Folclore Político*, p. 79.

Newton Cardoso – *Brasileiro (1938-) – Político, governador de Minas Gerais (1987-1991).*

Se eu compro os outros é porque eles estão à venda.

Do *Folclore Político*, p. 79.

Newton Cardoso

Nunca nego nada a eles e só os demito se forem pegos roubando errado.

Sobre os amigos no governo (*Veja* de 18/11/98).

Newton Cardoso

Deputado, o senhor não sabia que 90% dos parlamentares recebem uma beirada nas emendas?

Ao presidente da CPI dos Sanguessugas, deputado Antonio Carlos Biscaia, tentando justificar seu envolvimento com os sanguessugas (2006).

Ney Suassuna – *Brasileiro (1941-) – Senador do PMDB, envolvido com o escândalo das Sanguessugas.*

É milagre de Maluf que faz chover no Nordeste. É uma benção de Deus e do Maluf.

Durante um comício de Maluf em Natal, para as eleições presidenciais de 1989, quando começava a chover.

Paulo Maluf – *Brasileiro (1931-) – Político, governador de São Paulo (1979-1982).*

Não se pode comprar deputados. Porque eles saem por aí contando e você se desmoraliza com o eleitorado.

Em 1996 (*SeculoDiario.com* do Espírito Santo de 29/05/03).

Paulo Maluf

É dando que se recebe.

Sobre a votação do mandato de cinco anos para Sarney.

Roberto Cardoso Alves – *Brasileiro (1927-1996) – Político.*

Sou um nepotista militante.

Sobre o fato de empregar nove parentes no governo (2003).

Roberto Requião – *Brasileiro (1941-) – Governador do Paraná (2003-) candidato à reeleição.*

O preço da justiça está no canhoto do meu talão de cheque.

Do *Dualibi das Citações*, p. 470.

Sérgio Naya – *Brasileiro (contemporâneo) – Empresário, construtor do Palace 2, que desabou, e ex-deputado.*

Oposição? Eu não, tá doido? Eu gosto é do governo.

Descartando a possibilidade de se rebelar contra Lula.

Severino Cavalcanti – *Brasileiro (1930-) – Ex-presidente da Câmara, renunciou antes do processo de cassação por corrupção.*

Que papelão!

Se a pessoa não consegue produzir, coitada, vai ser professor.

Sobre a angústia dos pesquisadores bolsistas (2001).

Fernando Henrique Cardoso – *Brasileiro (1931-) – Sociólogo, escritor, político, presidente do Brasil (1994-1998 e 1998-2002).*

Essa obsessão de parar de trabalhar em uma certa idade vai criar problemas na Previdência.

Sobre a aposentadoria (1999).

Fernando Henrique Cardoso

São vagabundos.

Sobre os brasileiros que se aposentam com menos de 50 anos (1998).

Fernando Henrique Cardoso

O crime, muitas vezes, é inevitável.

Íris Rezende – *Brasileiro (1933-) – Prefeito de Goiânia, ministro da Justiça de FHC e ministro da Agricultura de Sarney, Governador de Goiás (1983-1986 e 1991-1994).*

Finge que funciona.

Como prefeito de São Paulo, ao inaugurar um posto de saúde, referindo-se ao medidor de pressão que não funcionava, para a atendente (*Folha de S. Paulo* em 20/01/06).

José Serra – *Brasileiro (1942-) – Ministro da Saúde de FHC, prefeito de São Paulo (2005-2006), candidato a presidente em 2002, candidato ao governo de São Paulo.*

Eu fui ao Gabão aprender como um presidente consegue ficar 37 anos no poder e ainda se candidatar à reeleição.

Em conversa com o presidente dominicano (2004).

Luiz Inácio Lula da Silva – *Brasileiro (1945-) – Político, fundador do PT, atual presidente do Brasil, desde 2003.*

Ei, José Dirceu, devolve o dinheiro aí, o dinheiro não é seu.

Refrão de uma música cantada pelos manifestantes, que Lula repetiu com um sorriso aberto e os dedos indicadores para o alto, como se estivesse num baile de Carnaval. De *Viagens com o Presidente* (2006).

Luiz Inácio Lula da Silva – *Brasileiro (1945-) – Político, fundador do PT, atual presidente do Brasil, desde 2003.*

Não gosto de Minas nem de mineiro. Elegeram-me porque quiseram. Agora têm que me agüentar até o fim.

Do *Folclore Político*, p. 79.

Newton Cardoso – *Brasileiro (1938-) – Político, governador de Minas Gerais (1987-1991).*

Se estiver com desejo sexual, estupra, mas não mata.

Na campanha para prefeito de São Paulo (1992).

Paulo Maluf – *Brasileiro (1931-) – Político, governador de São Paulo (1979-1982).*

Eu não dou a mínima para a lira italiana.

Ao ser perguntado se ele queria ouvir sobre o declínio da lira italiana.

Richard Nixon – *Americano (1913-1994) – 37º presidente (1969-1974), renunciou após o escândalo Watergate.*

Meus caros americanos: tenho o prazer de informar que acabo de assinar uma lei que banirá a URSS para sempre. O bombardeio começa em 5 minutos.

Brincando, ao se preparar para a gravação de um programa de TV, referindo-se à antiga União Soviética. A brincadeira gerou veementes protestos dos soviéticos (1984).

Ronald Reagan – *Americano (1911-2004) – Ator, 40º presidente (1981-1989).*

Macho sem noção

Estou atrás de uma mulher.

Procurando uma vice para sua chapa para presidente (2002).

Anthony Garotinho – *Brasileiro (1960-) – Político, governador do Rio de Janeiro (1999-2002).*

A minha companheira tem um papel fundamental: ela dorme comigo.

Perguntado sobre o papel da atriz Patrícia Pillar em sua campanha (2002).

Ciro Gomes – *Brasileiro (1957-) – Ministro da Integração Nacional de Lula (2003-2006) e ministro da Fazenda de Itamar (1994-1995), governador do Ceará (1991-1994), ex-candidato à presidência.*

A coisa que eu mais queria, quando casei com a minha galega, era um filho. Ela engravidou logo no primeiro dia de casamento, porque pernambucano não deixa por menos. Pois bem, eu tive de esperar nove meses para nascer a criança.

Criticando os que tinham pressa na queda de juros (2003).

Luiz Inácio Lula da Silva – *Brasileiro (1945-) – Político, fundador do PT, atual presidente do Brasil, desde 2003.*

Espero que vocês não sejam desaforadas e não comecem a pensar logo na presidência da República!

Discurso no Dia Internacional da Mulher (2005).

Luiz Inácio Lula da Silva

Mulheres e filhos são apêndices dos cidadãos...

Em 2004.

Luiz Inácio Lula da Silva

Mulheres não são nada a não ser máquinas para produzir crianças.

Napoleão Bonaparte – *Francês (1769-1821) – Imperador, militar, envolveu-se em muitas guerras.*

Elas gostam de apanhar.

Em artigo sobre os direitos femininos na Constituição (1988).

Roberto Campos – *Brasileiro (1917-2001) – Economista, político, ferino ensaísta e jornalista.*

Asneiras & Sandices

Eu sigo o caminho que a Providência me indica com a segurança de um sonâmbulo.

Adolf Hitler – *Austríaco (1889-1945) – Ditador nazista da Alemanha (1933-1945) ligado ao extermínio de judeus e à deflagração da Segunda Guerra Mundial.*

Aqueles que sobreviveram ao terremoto de São Francisco (...) mas para aqueles que morreram, suas vidas nunca mais serão as mesmas.

Barbara Boxer – *Americana (1940-) – Política.*

Nós lideramos na exportação de trabalhos.

Trocando a palavra produtos por trabalhos.

Dan Quayle – *Americano (1947-) – Vice-presidente de George Bush.*

É hora da raça humana entrar no sistema solar.

Dan Quayle

Estamos prontos para qualquer acontecimento inesperado que possa ou não ocorrer.

Dan Quayle

Eu acredito que nós estamos em uma tendência irreversível para mais liberdade e democracia. Mas isso pode mudar.

Dan Quayle

Eu tenho feito bons julgamentos no passado. Eu tenho feito bons julgamentos no futuro.

Dan Quayle

Nós temos um firme compromisso com a OTAN. Nós temos um firme compromisso com a Europa. Nós fazemos parte da Europa.

Dan Quayle

O futuro será melhor amanhã.

Dan Quayle

Assim como a Polônia teve uma rebelião contra o totalitarismo, eu estou me rebelando contra o brócolis... Agora sou presidente dos Estados Unidos e não irei mais comer nada de brócolis.

Gerou queda nas vendas de brócolis em todo o país em 1990 e muitos protestos dos agricultores.

George Bush – *Americano (1924-) – 41º presidente (1989-1993).*

Alguns repórteres disseram que não tenho qualquer visão. Eu não vejo isso.

George Bush

Tenho opiniões próprias, opiniões fortes, mas nem sempre concordo com elas.

George Bush

Estou preocupado com o tamanho da área de cultivo de cacau na Colômbia.

Confundindo cacau com coca (2001).

George W. Bush – *Americano (1946-) – 43º presidente (2001-). Ocupou o Iraque e o Afeganistão, após o atentado ao World Trade Center em setembro de 2001.*

Eu estou honrado de apertar a mão de um bravo cidadão iraquiano que teve sua mão cortada por Saddam Hussein.

Em 2004.

George W. Bush

Vocês também têm negros?

Em conversa com FHC (2002).

George W. Bush

Afinal, Europa é o aliado mais perto da América.

Na Alemanha (2005).

George W. Bush

A mais importante tarefa não é ser governador, ou primeira-dama em meu caso.

George W. Bush

Agradeço por me lembrar a importância de ser uma boa mãe e um grande voluntário também.

George W. Bush

As expectativas aumentam acima do que é esperado.

George W. Bush

Cada vez mais nossas importações vêm de fora do país.

George W. Bush

Eu sou um homem paciente. E quando eu digo que sou um homem paciente, eu quero dizer que sou um homem paciente.

George W. Bush

Os inimigos dos Estados Unidos nunca deixam de pensar em novas formas de prejudicar o nosso país e o nosso povo; tampouco nós.

George W. Bush

Quero preservar meus poderes executivos não só para mim mesmo, como também para os que me antecederam.

George W. Bush

O Brasil só não faz fronteira com Chile, Equador e Bolívia.

A Bolívia tem mais de 3 mil quilômetros de fronteira com o Brasil (2004).

Luiz Inácio Lula da Silva – *Brasileiro (1945-) – Político, fundador do PT, atual presidente do Brasil, desde 2003.*

O continente sul-americano e o continente árabe não podem mais, no século XXI, ficar à espera de serem descobertos.

Em 2003.

Luiz Inácio Lula da Silva

Se não dá para fazer dez coisas de uma vez, vamos fazer uma. Porque, se a cada ano a gente fizer uma, no final de quatro anos você terá quatro coisas feitas.

Em discurso improvisado (2004).

Luiz Inácio Lula da Silva

O Atlântico é apenas um rio caudaloso, de praias de areias brancas, que une os dois países.

Em Gabão, sobre a aproximação dos dois países (2004).

Luiz Inácio Lula da Silva

O Brasil não pode ser uma roleta-russa. Tem de ser um país produtivo, não um cassino.

Misturando o jogo da roleta com a brincadeira suicida (2002).

Luiz Inácio Lula da Silva

Todos vocês vão competir a uma vaga para Antenas (*sic*)? E quem é que acha que vai ganhar? Levante a mão aí para eu ver.

Para os candidatos a vaga nas Paraolimpíadas de Atenas (*Unifolha* – Campo Grande-MS de 02/12/03).

Luiz Inácio Lula da Silva

Se a gente não cumprir, é porque houve fatores extraterrestres.

Em discurso, referindo-se às promessas de campanha, colocando fatores de outros planetas no lugar de fatores externos (setembro de 2006).

Luiz Inácio Lula da Silva

As pesquisas que temos feito com os indecisos indicam que nós temos a maioria dos indecisos.

Paulo Maluf – *Brasileiro (1931-) – Político, governador de São Paulo (1979-1982).*

Tenho planos para o futuro que ainda não sei quais são.

Paulo Maluf

Proibido pisar na grama. Quem não souber ler, favor perguntar ao guarda.

Placa em um jardim recém-inaugurado.

Pedro Santos – *Brasileiro (1911-2005) – Prefeito de Montes Claros.*

Os Estados Unidos têm muito a oferecer à terceira guerra mundial.

Ele queria ter falado terceiro mundo.

Ronald Reagan – *Americano (1911-2004) – Ator, 40º presidente (1981-1989).*

Vamos passar 15 dias no Egito e depois vamos ao Cairo.

Sobre sua lua-de-mel com Collor.

Rosane Collor de Mello – *Brasileira (1963-) – Ex-primeira-dama, atualmente separada de Collor.*

Precisamos da pena de morte mais severa.

Ross Perot – *Americano (1930-) – Político, empresário, bilionário.*

Onde me escondo?

O subsecretário de Segurança responde na ausência do governador.

Ato falho dito pelo então Secretário de Segurança como se ele fosse governador, no governo de Rosinha no Rio (2003).

Anthony Garotinho – *Brasileiro (1960-) – Político, governador do Rio de Janeiro (1999-2002).*

Quero dar as boas-vindas ao povo chileno.

Falando como anfitrião ao desembarcar no Chile, na qualidade de convidado, para a reunião de cúpula dos países ibero-americanos (1996).

Fernando Henrique Cardoso – *Brasileiro (1931-) – Sociólogo, escritor, político, presidente do Brasil (1994-1998 e 1998-2002).*

E que as minhas últimas palavras sejam de reconhecimento ao esforço feito pela Ford, perdão, pela General Motors...

Na inauguração de uma fábrica da GM (2000).

Fernando Henrique Cardoso

Eu não quero correr o risco de arruinar o que é uma adorável recessão.

Ele trocou recepção por recessão.

George Bush – *Americano (1924-) – 41º presidente (1989-1993).*

Eu quero lhes agradecer por sacrificar parte de seu tempo para presenciar meu enforcamento.

Em uma cerimônia, Bush estava querendo se referir a um retrato seu que estava sendo pendurado (hanging). A palavra sem complemento significa enforcamento.

George W. Bush – *Americano (1946-) – 43º presidente (2001-). Ocupou o Iraque e o Afeganistão, após o atentado ao World Trade Center em setembro de 2001.*

Gostaria de mostrar minha alegria de receber mais uma vez em território francês o presidente do México.

Em encontro na Guiana Francesa com Fernando Henrique Cardoso, presidente do Brasil.

Jacques Chirac – *Francês (1932-) – Ex-primeiro-ministro, presidente.*

Combate a ética significa permitir que as instituições façam a investigação (....) No Brasil, cresce o emprego, cresce a economia, crescem as exportações, a única coisa que cai é o salário... é é é a inflação.

Na entrevista ao *Jornal Nacional* (2006).

Luiz Inácio Lula da Silva – *Brasileiro (1945-) – Político, fundador do PT, atual presidente do Brasil, desde 2003.*

Cumprimento o presidente da Mercedes-Benz... Pois eu quero dizer na frente do presidente da Mercedes-Benz.

Para o presidente mundial da General Motors (2004).

Luiz Inácio Lula da Silva

Gostaria de compartilhar um sonho com o povo da Bolívia... Desculpem-me, com o povo brasileiro.

Ronald Reagan – *Americano (1911-2004) – Ator, 40º presidente (1981-1989).*

Fala sério!

Não há tortura no Brasil.

Em pleno regime militar, na época do Médici (1970).

Alfredo Buzaid – *Brasileiro (1914-1991) – Advogado, ministro da Justiça do governo Médici, ministro do STF.*

A poupança é sagrada.

Antes de confiscá-la (1990).

Fernando Collor de Mello – *Brasileiro (1949-) – Político, empresário, presidente do Brasil (1990-1992), cargo do qual foi afastado por* impeachment.

O meu primeiro ato como presidente será mandar para a cadeia um bocado de corruptos.

Em 1989.

Fernando Collor de Mello

Não há hipótese do crime organizado comandar a penitenciária. Quem comanda é o governo, com disciplina.

Depois da rebelião nas penitenciárias (2001).

Geraldo Alckmin – *Brasileiro (1952-) – Político do PSDB, governador de São Paulo (2001-2006), candidato a presidente para 2007.*

Se eu estivesse no Rio de Janeiro, seria um milhão e um na Candelária.

Referindo-se ao enorme comício das Diretas Já no Rio (1984).

João Baptista Figueiredo – *Brasileiro (1918-1999) – Militar, presidente do Brasil (1979-1985).*

O comício de São Paulo não me impressionou.

Referindo-se ao comício pelas Diretas Já, ao qual compareceram cerca de 200 mil pessoas (1984).

José Sarney – *Brasileiro (1930-) – Político do PMDB, senador, presidente do Brasil (1985-1990).*

A possibilidade de eu ser corrupto é zero.

Em 1999.

Luiz Estevão – *Brasileiro (1949-) – Senador do PMDB cassado por corrupção.*

O bom político pensa antes de falar, mas o melhor político pensa e não fala.

Lula, recém-eleito em 2002, sobre as especulações em torno de nomeações para o seu primeiro escalão.

Luiz Inácio Lula da Silva – *Brasileiro (1945-) – Político, fundador do PT, atual presidente do Brasil, desde 2003.*

Santo exagero!

Vou liquidar o tigre da inflação com uma única bala!

Fernando Collor de Mello – *Brasileiro (1949-) – Político, empresário, presidente do Brasil (1990-1992), cargo do qual foi afastado por* impeachment.

Num prazo de 120 dias não haverá mais buracos.

Anunciando programa de recuperação das rodovias federais (1987).

Fernando Henrique Cardoso – *Brasileiro (1931-) – Sociólogo, escritor, político, presidente do Brasil (1994-1998 e 1998-2002).*

Se Clinton estivesse no Titanic, o *iceberg* teria afundado.

Na inauguração da Biblioteca Clinton, depois de um inesperado elogio de Bill Clinton.

George W. Bush – *Americano (1946-) – 43º presidente (2001-). Ocupou o Iraque e o Afeganistão, após o atentado ao World Trade Center em setembro de 2001.*

Só alguém poderia fazer eu voltar atrás. Deus. E ele não falou comigo.

Após a renúncia da presidência de uma comissão (1996).

Jair Soares – *Brasileiro (1933-) – Governador do Rio Grande do Sul (1983-1987), ministro da Previdência de Figueiredo.*

Esta é a última seca que assola o Nordeste.

Ao assumir a presidência (1956).

Juscelino Kubitschek – *Brasileiro (1902-1976) – Presidente (1956-1961).*

Com uma canetada só, vou dar tanta terra que vocês não vão conseguir ocupar.

Em 1994.

Luiz Inácio Lula da Silva – *Brasileiro (1945-) – Político, fundador do PT, atual presidente do Brasil, desde 2003.*

Se for eleito, resolverei o problema da reforma agrária com uma canetada.

Em 1998.

Luiz Inácio Lula da Silva

Nós sofremos muito em 2003, porque pegamos a casa depois de um vendaval como aquele que deu na Ásia.

Em 2004.

Luiz Inácio Lula da Silva

Vou acabar com essa transposição na marra, nem que seja com lata d'água na cabeça.

Garantindo que fará irrigação no Nordeste.

Luiz Inácio Lula da Silva

Será o maior programa social já visto na face da Terra.

Sobre o Bolsa-família (2004).

Luiz Inácio Lula da Silva

Vou trabalhar 24 horas todos os dias enquanto houver gente passando *hambre*.

Usando a palavra espanhola para "fome", em conversa com parlamentares argentinos (2002).

Luiz Inácio Lula da Silva

Desde que o Brasil foi descoberto, ninguém fez pelos pobres da Bahia mais do que estamos fazendo.

Luiz Inácio Lula da Silva

Se Lula ganhar esta eleição, 800 mil empresários vão deixar o país!

Nas eleições diretas de 1989, para assustar os possíveis eleitores de Lula.

Mário Amato – *Brasileiro (1918-) – Empresário, ex-presidente da FIESP.*

Vou acabar com a violência em 6 meses.

Como candidato ao governo do Rio (1986).

Moreira Franco – *Brasileiro (1944-) – Deputado do PMDB, governador do Rio de Janeiro (1987-1991), trabalhou como assessor de FHC.*

Em nome do Presidente Sarney, eu fecho esse supermercado.

Logo após o lançamento do Plano Cruzado, ao punir o supermercado que aumentou os preços, na vigência do congelamento de preços (1986).

Omar Marczynski – *Brasileiro (contemporâneo) – Administrador de empresas.*

Se acha!

Sabe qual a semelhança entre esta senhora grávida e Brasília?
Ambas estão esperando Garotinho.

Em 1999.

Anthony Garotinho – *Brasileiro (1960-) – Político, governador do Rio de Janeiro (1999-2002).*

Só Deus pode acabar com a minha força na Bahia.

Após o pedido de cassação ser arquivado pelo Senado (2003).

Antonio Carlos Magalhães – *Brasileiro (1927-) – Governador da Bahia (1971-1975, 1979-1983, 1991-1994), ministro de Comunicações de Sarney.*

Eu tenho linha direta com Deus.

Enquanto candidato do PDT ao governo de São Paulo (1998).

Francisco Rossi – *Brasileiro (1942-) – Político, radialista evangélico, ex-prefeito de Osasco.*

Um dia acordei invocado e telefonei para o Bush.

Em um discurso para lideranças do PTB (2004).

Luiz Inácio Lula da Silva – *Brasileiro (1945-) – Político, fundador do PT, atual presidente do Brasil, desde 2003.*

Homem inteligente no Brasil, fora meu marido, não conheço muito.

Em 1990.

Rosane Collor de Mello – *Brasileira (1963-) – Ex-primeira-dama, atualmente separada de Collor.*

Sou o Jesus Cristo da política. Sou uma vítima paciente, sacrifico-me por todos.

Silvio Berlusconi – *Italiano (1936-) – Empresário, ex-primeiro-ministro da Itália de centro-direita.*

É mesmo?

O povo espera que o próximo governador tenha experiência administrativa. Fui governador de São Paulo por dez dias.

Como candidato ao governo de São Paulo (2002).

Carlos Apolinário – *Brasileiro (1952-) – Candidato do PDT a governador de São Paulo em 2006.*

Corto minha mão antes de assinar qualquer papel com os banqueiros.

Em um jantar como candidato à presidência em 2002, com banqueiros e empresários.

Ciro Gomes – *Brasileiro (1957-) – Ministro da Integração Nacional de Lula (2003-2006) e ministro da Fazenda de Itamar (1994-1995), governador do Ceará (1991-1994), ex-candidato à presidência.*

Acabei de conversar com Clinton e ele me disse que, para resolver qualquer problema na América Latina, eu só precisava falar com você.

Em conversa com Fernando Henrique Cardoso (2001).

George W. Bush – *Americano (1946-) – 43º presidente (2001-). Ocupou o Iraque e o Afeganistão, após o atentado ao World Trade Center em setembro de 2001.*

Eu sei que seres humanos e peixes podem coexistir pacificamente.

George W. Bush

Eu li sobre política estrangeira e estudei. Eu sei o número de continentes.

George Wallace – *Americano (1919-1998) – Político, governador do Alabama, lutou contra a integração racial.*

Prometo trazer de volta os passarinhos a São Paulo.

Como candidato a prefeito de São Paulo, concorrendo com FHC (1985).

Jânio Quadros – *Brasileiro (1917-1992) – Político, presidente do Brasil em 1961 até renunciar ao mandato.*

Oposição não tem que ter proposta.

Em 1999.

Luiz Inácio Lula da Silva – *Brasileiro (1945-) – Político, fundador do PT, atual presidente do Brasil, desde 2003.*

Sei bater o olho num sujeito e dizer se ele é honesto ou não.

PC Farias – *Brasileiro (1946-1996) – Empresário, tesoureiro da campanha de Collor.*

Alice no País das Maravilhas

Mais democracia do que a que praticamos, creio que não existe em outra parte do mundo.

Augusto Pinochet – *Chileno (1915-) – Ex-homem forte do Chile por 17 anos.*

Sinto-me feliz todas as noites quando ligo a televisão para assistir ao jornal. Enquanto as notícias dão conta de greves, agitações, atentados e conflitos em várias partes do mundo, o Brasil marcha em paz, rumo ao desenvolvimento. É como se eu tomasse um tranqüilizante após um dia de trabalho.

Em pleno regime militar, como presidente.

Emílio Garrastazu Médici – *Brasileiro (1905-1985) – Militar, presidente do Brasil no regime militar (1969-1974).*

O Brasil está bem. Há empregos e não há crise.

Em 1987.

José Sarney – *Brasileiro (1930-) – Político do PMDB, senador, presidente do Brasil (1985-1990).*

Não quero saber de crise, quero boas notícias.

Em 2005.

Luiz Inácio Lula da Silva – *Brasileiro (1945-) – Político, fundador do PT, atual presidente do Brasil, desde 2003.*

Eu tenho pedido para os economistas analisar desde que foi proclamada a república até o dia de hoje se houve algum momento na História do Brasil em que a economia brasileira tenha tantos fatores positivos combinando entre si (...) Estou feliz com a situação econômica do país.

Em uma entrevista no *Jornal da Globo* (30/08/2006)

Luiz Inácio Lula da Silva

Se tem um governo que tem sido implacável no combate à corrupção, desde o primeiro dia, é o meu governo.

Em pronunciamento à nação (final de 2005).

Luiz Inácio Lula da Silva

Nossa avaliação inicial é que todos os americanos vão morrer.

O então ministro da Informação do Iraque (final de 2003).

Mohamed Said al-Sahaf – *Iraquiano (1940-) – Ministro da Comunicação de Saddam Hussein.*

Coitadinho(a)...

Pensei, em um determinado momento, em dar fim a minha própria vida, porque o sofrimento foi atroz, uma coisa brutal, cruel.

Em uma entrevista (2005).

Fernando Collor de Mello – *Brasileiro (1949-) – Político, empresário, presidente do Brasil (1990-1992), cargo do qual foi afastado por* impeachment.

Meu salário de R$ 40 mil era motivo de gozação entre meus colegas, que ganhavam infinitamente mais.

Na CPI do mensalão (2005).

Henrique Pizzolato – *Brasileiro (1952-) – Ex-diretor do Banco do Brasil, um dos coordenadores financeiros da campanha de Lula.*

...Sinto-me, porém, esmagado. Forças terríveis levantam-se contra mim...

Trecho da carta-renúncia (agosto de 1961).

Jânio Quadros – *Brasileiro (1917-1992) – Político, presidente do Brasil em 1961 até renunciar ao mandato.*

O bom de ser governo é do dia em que você é eleito até a posse. Depois, é só problemas.

Luiz Inácio Lula da Silva – *Brasileiro (1945-) – Político, fundador do PT, atual presidente do Brasil, desde 2003.*

Não vou ser uma ministra da jardinagem.

Durante jantar de desagravo por não estar influindo em questões importantes como a dos transgênicos (2003).

Marina Silva – *Brasileira (1958-) – Ministra do Meio Ambiente.*

Acreditem, se o Nordeste sofre com a seca, posso afirmar que o presidente Figueiredo sofre muito mais.

Em 1984.

Mário Andreazza – *Brasileiro (1918-1988) – Ministro em vários governos militares.*

No Brasil, o político é veado, corno ou ladrão. A mim, escolheram como ladrão.

Paulo Maluf – *Brasileiro (1931-) – Político, governador de São Paulo (1979-1982).*

Então tá explicado

Não se trata de um golpe convencional, mas de uma mudança de rumo.

Sobre o golpe que deu no Peru em 1982.

Alberto Fujimori – *Peruano (1938-) – Ex-presidente do Peru.*

Se não há controle sobre a demanda de drogas, nada podemos fazer.

Andrés Pastrana – *Colombiano (1954-) – Ex-presidente da Colômbia.*

Eles é que erraram a pergunta.

Culpando a produção do *Show do Milhão* por seu vexame de não ter sabido responder que a água é composta de oxigênio e hidrogênio.

Anthony Garotinho – *Brasileiro (1960-) – Político, governador do Rio de Janeiro (1999-2002).*

Tinha muito peixe para pouca água. Por isso muitos morreram sufocados. A mortandade foi devido à superpopulação de peixes.

Explicando a morte de toneladas de peixes na Lagoa Rodrigo de Freitas (2000).

Anthony Garotinho

Eu não sou teimoso. Teimoso são aqueles que teimam comigo.

Antonio Carlos Magalhães – *Brasileiro (1927-) – Governador da Bahia (1971-1975, 1979-1983, 1991-1994), ministro de Comunicações de Sarney.*

A cachorra é um ser humano, e eu não hesitei.

Sobre o uso de carro oficial para levar sua cachorra ao veterinário.

Antonio Rogério Magri – *Brasileiro (1941-) – Ministro do Trabalho de Collor.*

O animal é gente como a gente.

Prefeito recém-eleito, justificando a criação da Secretaria Extraordinária de Defesa dos Animais (2000).

César Maia – *Brasileiro (1945-) – Economista, prefeito do Rio de Janeiro (1993-1996 e 2001-).*

Eu não tenho como ser ladrão de mim mesmo.

Argumentando que não considera ilícito cobrar uma parte do salário de seus funcionários na Câmara.

Chicão Brígido – *Brasileiro (1958-) – Deputado.*

Eu não sou malufista. Sou malufólogo.

Respondendo sobre sua ligação com o ex-prefeito Paulo Maluf.

Delfim Netto – *Brasileiro (1928-) – Economista, deputado, ministro de vários governos militares.*

Não existe caixa dois, existe dinheiro não contabilizado.

Em 2005.

Delúbio Soares – *Brasileiro (1955-) – Ex-tesoureiro do PT, afastado pelo partido durante o escândalo do mensalão.*

Indicação política não é atestado de corrupção.

Sobre o modelo vigente de lotear cargos em estatais entre partidos (2005).

Dilma Rousseff – *Brasileira (1947-) – Ministra da Casa Civil do governo Lula, após a queda de José Dirceu, ex-guerrilheira.*

Quando cheguei para tomar conta do galinheiro, não tinha nenhuma galinha aqui.

Negando que fosse a raposa no galinheiro da Sudene.

Fernando Bezerra – *Brasileiro (1941-) – Senador do PTB, ministro da Integração Nacional de FHC.*

Não temos presos políticos, temos presos contra-revolucionários.

Em 1998.

Fidel Castro – *Cubano (1926-) – Líder carismático e polêmico, dirige Cuba desde 1959.*

Não há falta de moradia em Lincoln hoje, apenas há um rumor que é espalhado por pessoas que não têm onde viver.

G. L. Murfin – *Inglês – Em algum momento, prefeito de Lincoln, uma pequena cidade inglesa.*

Programa de partido trata dos objetivos estratégicos do partido, não tem nada a ver com programa de governo.

Na entrevista ao *Jornal Nacional* (2006).

Heloísa Helena – *Brasileira (1962-) – Senadora de Alagoas, candidata à presidência pelo P-SOL, dissidência à esquerda do PT.*

Eu não usaria a palavra confisco para caracterizar o que está sendo proposto.

No lançamento do Plano Collor, que confiscou temporariamente da população grande parte das contas e aplicações bancárias (1990).

Ibrahim Eris – *Turco (1944-) – Economista, presidente do Banco Central do governo Collor.*

Não gosto da palavra bomba. Não é uma bomba. É um dispositivo que está explodindo.

Sobre os testes nucleares franceses na Oceania (1995).

Jacques Le Blanc – *Francês (1934-) – Ex-embaixador da França na Nova Zelândia.*

O PTB não se vendeu ao governo, fez apenas leasing.

Referindo-se ao papel do PTB nas eleições indiretas (1984).

Jânio Quadros – *Brasileiro (1917-1992) – Político, presidente do Brasil em 1961 até renunciar ao mandato.*

A democracia brasileira precisa do AI-5, como os cidadãos pacíficos precisam de armas para enfrentar os inimigos traiçoeiros.

Relativo ao decreto AI-5 (ato institucional) de 1968, que representou um significativo endurecimento do regime militar.

José Bonifácio de Andrada – *Brasileiro (séc. XX) – Político.*

Os bolivianos precisam rever os contratos com a Petrobras porque necessitam de recursos para investir em desenvolvimento.

Defendendo os interesses nacionais bolivianos.

José Dirceu – *Brasileiro (1946-) – Um dos fundadores do PT, ex-ministro da Casa Civil de Lula, ex-deputado, cassado por acusação de corrupção.*

Indicaremos para o cargo um amigo. O absurdo seria se indicássemos um inimigo.

Em uma nomeação para o seu governo (1982).

José Maria Marin – *Brasileiro (1932-) – Governador de São Paulo (1982-1983).*

O Plano Cruzado não morreu, vamos ressuscitá-lo.

Em 1987, referindo-se ao fracassado Plano Cruzado, decretado em 1986.

José Sarney – *Brasileiro (1930-) – Político do PMDB, senador, presidente do Brasil (1985-1990).*

Primeiro é preciso ver a realidade de cada país e nós temos que comparar o nosso país com o nosso país (...) Todos esses países pode (sic) ter alguns crescendo mais que o Brasil, mas nenhum tem a conjuntura de fatores positivos que tem a macroeconomia brasileira.

Em uma entrevista no *Jornal da Globo*, justificando o baixo crescimento do Brasil, comparado com outros países (30/08/06).

Luiz Inácio Lula da Silva – *Brasileiro (1945-) – Político, fundador do PT, atual presidente do Brasil, desde 2003.*

A democracia não é só uma coisa limpa.

Em comício ao lado de Humberto Costa, ex-minstro da Saúde e indiciado por corrupção (2006).

Luiz Inácio Lula da Silva

Você culparia Cristo pela traição de Judas?

Defendendo Lula das acusações de responsabilidade nos escândalos de corrupção envolvendo o PT (2006).

Marcelo Crivella – *Brasileiro (1957-) – Senador, candidato a governador do Rio, cantor, filho da irmã (Eris) de Edir Macedo, líder da Igreja Universal.*

Minha avó dizia que às vezes a culpa não é do caçador, mas da cachorrada.

Justificando o papel de Lula diante dos escândalos de seu governo, embora, nesse caso, o caçador é quem leva a cachorrada até a presa. (2006).

Marcelo Crivella

Tenho fazendas, compro animais. Lido com gado. Há fazendeiros que simplesmente não aceitam cheque.

Respondendo sobre as acusações de uso de caixa dois (2005).

Marcos Valério de Souza – *Brasileiro (1961-) – Empresário, publicitário.*

A única responsável pelas enchentes foram as chuvas.

Na prefeitura de São Paulo (1985).

Mário Covas – *Brasileiro (1930-2001) – Governador de São Paulo (1995-2001), ex-candidato pelo PSDB em 1989.*

Fraude, corrupção e violência fazem parte da condição humana.

Sobre falhas nos programas sociais do governo (2004).

Patrus Ananias – *Brasileiro (1952-) – Ex-prefeito de Belo Horizonte (PT), ministro do Desenvolvimento Social.*

É uma granjinha, com alguns poucos frangos.

Sobre a empresa de sua mulher, que estava sob suspeita de fornecer frangos de forma fraudulenta para a prefeitura de São Paulo (1997).

Paulo Maluf – *Brasileiro (1931-) – Político, governador de São Paulo (1979-1982).*

Se alguém queria me agradar com dinheiro, eu não tinha como recusar.

No governo Collor (*Estadão do Norte* – Rondônia – 17/08/05).

PC Farias – *Brasileiro (1946-1996) – Empresário, tesoureiro da campanha de Collor.*

Prima não é parente.

Que nega ser nepotismo a nomeação da prima para a Secretaria da Cultura.

Péricles Holleben de Mello – *Brasileiro (contemporâneo) – Ex-prefeito de Ponta Grossa (PT).*

Quando um presidente faz algo, isso significa que não é ilegal.

Richard Nixon – *Americano (1913-1994) – 37º presidente (1969-1974), renunciou após o escândalo Watergate.*

Quem conhece política sabe como ela é feita há 500 anos no Brasil. Não vamos ser hipócritas.

Justificando o uso de caixa dois na campanha eleitoral (2005).

Silvio Pereira – *Brasileiro (1961-) – Ex-secretário-geral do PT.*

Não vamos confundir propina com corrupção.

Negando que os burocratas de seu país sejam desonestos.

Vladimir Rushailo – *Russo (1953-) – Político.*

O país está mergulhado numa espécie de síndrome inflacionária, que faz subir os preços sem nenhuma explicação.

Alguns meses após o Plano Collor, que, além do confisco, era para ter acabado com a inflação (1990).

Zélia Cardoso de Mello – *Brasileira (1953-) – Ministra da Fazenda do governo Collor.*

Óbvio ululante

Muito francamente, os professores são os únicos profissionais que ensinam nossas crianças.

Dan Quayle – *Americano (1947-) – Vice-presidente de George Bush.*

Para a NASA, o espaço é ainda alta prioridade.

Dan Quayle

Eu penso que guerra é um lugar perigoso.

George W. Bush – *Americano (1946-) – 43º presidente (2001-). Ocupou o Iraque e o Afeganistão, após o atentado ao World Trade Center em setembro de 2001.*

Isto é realmente um orçamento; tem números nele.

George W. Bush

Nosso país precisa se juntar para se unir.

George W. Bush

Quando eu era jovem e irresponsável, eu era jovem e irresponsável.

George W. Bush

Ninguém mais indicado para ser mãe do que a mulher.

Em discurso no dia das mães.

Índio do Brasil – *Brasileiro (1911-) – Deputado do estado do Rio de Janeiro.*

O mal do Brasil é ter sido descoberto por estrangeiros.

Índio do Brasil

Todo brasileiro tem motivos para se sentir otimista. As perspectivas só são ruins para os desempregados.

Em 2004.

Luiz Inácio Lula da Silva – *Brasileiro (1945-) – Político, fundador do PT, atual presidente do Brasil, desde 2003.*

Minha mãe era uma mulher que nasceu analfabeta.

Em discurso no Dia Internacional da Mulher.

Luiz Inácio Lula da Silva

Se não formos bem-sucedidos, corremos o risco de falhar.

Hoje largamente atribuído a Bush ou Quayle (1991).

Mad – *Revista norte-americana de humor.*

O importante é não botar o depois antes do antes.

Marco Maciel – *Brasileiro (1940-) – Senador, governador de Pernambuco (1979-1982), vice-presidente de FHC.*

Não fui para o segundo turno porque não tive votos suficientes.

Explicando o óbvio de sua derrota nas eleições para o governo de São Paulo (2002).

Paulo Maluf – *Brasileiro (1931-) – Político, governador de São Paulo (1979-1982).*

Eu sou eu mesmo e continuarei a desempenhar esse papel.

Richard Nixon – *Americano (1913-1994) – 37º presidente (1969-1974), renunciou após o escândalo Watergate.*

Não entendi. Você entendeu?

Refogue de maior esforço interpretativo a idéia tropicalmente clara de que o ato está tutelado pela superlei. É superavitariamente inquestionável que não devemos albergar no desvão da tolerância e no abismo das conseqüências imprevisíveis, a fim de portar o estandarte do triunfo contra a ronda da morte.

Em 1972.

Eurico Rezende – *Brasileiro (1918-1997) – Senador, advogado, governador do Espírito Santo (1979-1982).*

Estes atos terroristas e, sabe, as represálias devem terminar, de maneira que consigamos a estrutura – a base – não a estrutura, a base para discutir a estrutura para chegar à paz, para determinar... Ah, tudo bem.

George W. Bush – *Americano (1946-) – 43º presidente (2001-). Ocupou o Iraque e o Afeganistão, após o atentado ao World Trade Center em setembro de 2001.*

Eu sei no que acredito. Eu continuo a dizer o que acredito e o que eu acredito – acredito que aquilo em que acredito é certo.

George W. Bush

Nós, que gastamos tempo no setor agrícola e nas áreas cultiváveis, entendemos como é injusta a pena de morte.

George W. Bush

É..., bom, eu queria dizer que a metáfora da música brasileira na globalização efetiva dos carentes objetos da sinergia fizeram a pluralização chegar aos ouvidos eternos da geografia assimétrica da melodia.

Em 2003.

Gilberto Gil – *Brasileiro (1942-) – Cantor, compositor da MPB, autor de dezenas de sucessos, ministro da Cultura de Lula.*

Sai de perto!

Eu tenho aquilo roxo!

Fernando Collor de Mello – *Brasileiro (1949-) – Político, empresário, presidente do Brasil (1990-1992), cargo do qual foi afastado por* impeachment.

Nesse presidente, ninguém coloca uma canga.

Fernando Collor de Mello

Quando ouço alguém falar em cultura, saco meu revólver.

Hanns Johst – *Alemão (1890-1978) – Escritor, aliado dos nazistas.*

Continuo sonhando em tomar banho um dia numa praia boliviana.

Colocando lenha na fogueira na briga da Bolívia com o Chile por uma saída para o mar.

Hugo Chávez – *Venezuelano (1954-) – Presidente da Venezuela, de cunho nacionalista, desde 1999.*

Somos como ervas daninhas, o fogo passa e a gente fica mais forte.

Leonel Brizola – *Brasileiro (1922-2004) – Político, governador do Rio de Janeiro (1983-1987 e 1991-1994) e do Rio Grande do Sul (1959-1963).*

Quem não publicar nossa versão é inimigo do Estado.

Ameaçando a imprensa no caso do acidente com o Kursk (2000).

Serguei Iastrazembski – *Russo (contemporâneo) – Porta-voz da presidência para assuntos de guerra de Putin.*

Sede de poder

Eu gosto que me carreguem, eu gosto de ver o povo gritando meu nome, eu gosto é do poder!

Em conversa com jornalista, relatada pelo cronista João Ubaldo Ribeiro.

Antonio Carlos Magalhães – *Brasileiro (1927-) – Governador da Bahia (1971-1975, 1979-1983, 1991-1994), ministro de Comunicações de Sarney.*

Meu programa é muito simples: quero governar.

Benito Mussolini – *Italiano (1883-1945) – Ditador fascista que apoiou a Alemanha na Segunda Guerra Mundial.*

Como sucessor de Figueiredo, serei dono desse país.

Tentando ser candidato a presidente pelo PDS no colégio eleitoral de 1984, na qual Maluf saiu como candidato.

Mário Andreazza – *Brasileiro (1918-1988) – Ministro em vários governos militares.*

Prefiro o Ministério da Fazenda, que é para a gente tomar logo conta de tudo.

Falando sobre o tratamento que espera do presidente da República para apoiar o governo (2005).

Severino Cavalcanti – *Brasileiro (1930-) – Ex-presidente da Câmara, renunciou antes do processo de cassação por corrupção.*

Parte 2

Língua afiada

Quem tem o PT não precisa de oposição.

Comentando as dificuldades do governo com sua própria bancada (2004).

Aécio Neves – *Brasileiro (1960-) – Político do PSDB, governador de Minas Gerais (2003-).*

Atualmente o único programa que o presidente tem é o de rádio.

Sobre o governo Sarney, que tinha um programa semanal no rádio (1988).

Alceni Guerra – *Brasileiro (1945-) – Político, ministro da Saúde de Collor.*

Alckmin continua sendo um excelente vice-governador. São Paulo precisa urgentemente de um governador.

Durante o governo Alckmin em São Paulo (2001).

Aloizio Mercadante – *Brasileiro (1954-) – Político do PT, economista, candidato ao governo de São Paulo pelo PT.*

Trata-se de um homem peculiar. Duvida do mensalão, mas acredita em saci-pererê.

Sobre o presidente da Câmara Aldo Rebelo (PC do B), que é autor de um projeto que substitui o Halloween de 31 de outubro pelo dia do Saci-pererê, em defesa da cultura nacional (2005).

Álvaro Dias – *Brasileiro (1944-) – Senador do PSDB, governador do Paraná (1987-1991).*

Quem pariu o mosquito que cuide dele.

Culpando o ministro José Serra pela epidemia de dengue em seu estado (2002).

Anthony Garotinho – *Brasileiro (1960-) – Político, governador do Rio de Janeiro (1999-2002).*

O PDT é um partido que tem muito passado, pouco presente e nenhum futuro.

Anthony Garotinho

Se FHC foi uma mãe para os banqueiros, Lula já é quase uma tia.

Em 2003.

Anthony Garotinho

Na selva há algumas cobrinhas, mas as do Congresso são bem mais venenosas.

Antônio Apurinã – *Brasileiro (contemporâneo) – Líder indígena, político.*

A única utilidade que eu vejo na ferrovia é levar o presidente Sarney até o Maranhão.

Sobre a ferrovia Norte-Sul, menina dos olhos do governo Sarney, que nunca saiu do papel (1987).

Ariosto da Riva – *Brasileiro (séc. XX) – Empresário.*

Não acho que o governo FHC tenha sido ótimo. O primeiro mandato foi bom. O segundo, mais ou menos. O terceiro está sendo péssimo.

Durante o governo Lula (2004).

Arthur Virgílio – *Brasileiro (1945-) – Político, líder do PSDB no Senado.*

Na melhor das hipóteses, Lula, o senhor é um idiota. Na pior, o senhor é corrupto.

Na CPI dos Correios (Em 2005).

Arthur Virgílio

O PT tem mais horas de CPI que urubu de vôo.

Que não via razão de os petistas temerem a CPI do caso Waldomiro Diniz, assessor do ministro José Dirceu, acusado de corrupção (2004).

Arthur Virgílio

Acho que deveria estar satisfeito que Hitler fez sua revolução se inspirando em nosso exemplo, mas eles são alemães, portanto acabarão arruinando nossa idéia.

Benito Mussolini – *Italiano (1883-1945) – Ditador fascista que apoiou a Alemanha na Segunda Guerra Mundial.*

Temos sociólogos bons e medíocres. Uns acabam professores, outros presidentes da República.

Betinho – *Brasileiro (1935-1997) – Sociólogo, escritor, ativista civil. Seu nome real é Herbert de Souza.*

Aos meus amigos, deixo um grande abraço. Aos meus adversários, a rima.

Em um comício, respondendo às pichações de "Lacerda rima com merda".

Carlos Lacerda – *Brasileiro (1914-1977) – Político, jornalista, governador da Guanabara, (1960-1965), na época a cidade do Rio de Janeiro, antes da fusão.*

Língua afiada

Garotinho teve a mesma expressão de um desses moleques ao ser surpreendido com um pirulito roubado.

Sobre a versão do ex-governador fluminense de que não conhecia Silveirinha, que era subsecretário de Administração Tributária e foi pivô do esquema de extorsão a empresas cariocas (2003).

Carlos Lupi – *Brasileiro (1957-) – Presidente nacional do PDT.*

O governo Lula chegou à fase da cleptomania administrativa.

Irritado com o fato de o governo ter incluído a reforma do aeroporto de Salvador nas realizações de Lula (2006).

Cesar Borges – *Brasileiro (1948-) – Governador da Bahia (1999-2002), senador do PFL.*

Brizola é a fina flor do atraso.

Em 1993.

Ciro Gomes – *Brasileiro (1957-) – Ministro da Integração Nacional de Lula (2003-2006) e ministro da Fazenda de Itamar (1994-1995), governador do Ceará (1991-1994), ex-candidato à presidência.*

Tenho nojo do PFL.

Em 1993.

Ciro Gomes

Fernando Henrique não rouba, mas deixa roubar.

Em 2000.

Ciro Gomes

Os senhores produziram 11 milhões de desempregados. Por que se deve acreditar que vão criar emprego agora?

Para José Serra, candidato do PSDB no debate da *Rede Record* (2002).

Ciro Gomes

A esquerda não leu nosso plano de governo. Aliás, ela não lê nada. Nem mesmo *O Capital*.

O Capital é a bíblia do marxismo.

Cláudio Humberto – *Brasileiro (contemporâneo) – Jornalista, colunista, porta-voz do governo Collor.*

Há candidatos que aparecem na televisão com a espontaneidade de uma secretária eletrônica.

Na época das eleições diretas de 1989.

Cláudio Lembo – *Brasileiro (1934-) – Governador de São Paulo do PFL (2006-).*

Língua afiada

É a chapa chuchu com jiló. O primeiro não tem gosto e do outro ninguém gosta.

Referindo-se à dobradinha Geraldo Alckmin (PSDB) e Cláudio Lembo (PFL), que concorreu e ganhou o governo do estado de São Paulo (2002).

Cunha Lima – *Brasileiro (1963-) – Governador da Paraíba.*

Essa foi a primeira vez que o governo manifestou alguma preocupação com a agricultura. O ministro José Serra mandou um jornalista plantar batatas.

Durante o governo FHC.

Delfim Netto – *Brasileiro (1928-) – Economista, deputado, ministro de vários governos militares.*

O ministro Palocci é o pau do circo. Se tirar o pau do circo, a lona vai cair mesmo.

Em 2005.

Delfim Netto

As reivindicações de governadores e prefeitos não cabem no PIB brasileiro. Possivelmente, nem no americano.

Falando das pressões de governadores e prefeitos na reforma tributária (2003).

Delfim Netto

Tudo pelo social. E os trabalhadores pelo elevador de serviço.

Referindo-se ao *slogan* do governo Sarney: "Tudo pelo social" (1987).

Delfim Netto

O governo chegou a tal ponto que, se comprar um circo, o anão começa a crescer.

Delfim Netto

O governo está morto. Nós estamos discutindo o que fazer com o corpo até 2006.

Em 2005.

Fernando Gabeira – *Brasileiro (1941-) – Político do PV, escritor, jornalista, envolveu-se em um seqüestro político no tempo do governo militar.*

Não há cirurgia que dê jeito no Serra.

Comentando a cirurgia plástica feita pelo então ministro para retirada da bolsa sob os olhos (1999).

Fernando Henrique Cardoso – *Brasileiro (1931-) – Sociólogo, escritor, político, presidente do Brasil (1994-1998 e 1998-2002).*

Todo mundo tem um projeto. Imagino que o governo Lula também tenha. Ainda não descobri qual, mas deve ter.

Em 2003.

Fernando Henrique Cardoso

Lula sempre foi neoliberal.

Em resposta ao então presidente mexicano, que lhe perguntou como conseguiu convencer Lula a manter a disciplina fiscal (2003).

Fernando Henrique Cardoso

Este governo é incompetente. É preciso dizer claramente que o rei está nu.

Exortando os tucanos a mostrar à população que o governo não funciona (2004).

Fernando Henrique Cardoso

Andei dizendo que, se insistissem, acabaria nomeando o Serra.

Explicando como conseguiu acalmar os críticos do ministro da Fazenda, Pedro Malan (1999).

Fernando Henrique Cardoso

Não é meu estilo fazer articulação para atrapalhar o governo. O governo se atrapalha sozinho.

Negando que tenha mantido contato com o presidente da Câmara (2005).

Fernando Henrique Cardoso

Se a herança do meu governo foi tão ruim assim, por que continuar? O PT está continuando.

Rebatendo as críticas dos petistas de que teriam recebido uma "herança maldita" de seu governo (2003).

Fernando Henrique Cardoso

Lula vai demorar um pouco para notar que pode muito menos do que ele pensa que pode.

Em 2003.

Fernando Henrique Cardoso

Ainda bem que o governo Lula está dando errado. Se desse certo, iríamos todos para o paredão.

Sobre a decisão de revogar o visto do correspondente do *New York Times*, que criticou o Brasil em reportagem (2004).

Geddel Vieira Lima – *Brasileiro (1959-) – Deputado federal (PMDB).*

Ter seu caráter atacado por Clinton é como ser chamado de horrível por um sapo.

George Bush – *Americano (1924-) – 41º presidente (1989-1993).*

Lula, por favor, vê se não dorme durante o meu discurso.

Em 2004.

George W. Bush – *Americano (1946-) – 43º presidente (2001-). Ocupou o Iraque e o Afeganistão, após o atentado ao World Trade Center em setembro de 2001.*

O ex-prefeito continua fazendo todo esforço para passar das páginas do noticiário policial para o noticiário político. Eu não vou dar essa escada para ele.

Sobre o fato de Paulo Maluf tê-lo acusado de estar fazendo propaganda eleitoral à custa do Estado (2002).

Geraldo Alckmin – *Brasileiro (1952-) – Político do PSDB, governador de São Paulo (2001-2006), candidato a presidente para 2007.*

Não existe o Fome Zero, o Primeiro Emprego, o Banco Popular. O que existe é a mentira reiterada.

Em 2006.

Geraldo Alckmin

A metade dos homens de meu governo não é capaz de nada e a outra metade é capaz de tudo.

Getúlio Vargas – *Brasileiro (1883-1954) – Presidente entre 1930-1945 e 1951-1954.*

Não seja humilde. Você não é assim tão importante.

A um diplomata, em visita a Israel.

Golda Meir – *Ucraniana (1898-1978) – Líder política de Israel.*

Covarde, assassino, você é um genocida, um alcoólatra, um bêbado, um imoral, é o pior mister Danger, é um doentio, isso eu sei pessoalmente.

Para George W. Bush, reagindo a um relatório da Casa Branca que o qualificou como demagogo (2006).

Hugo Chávez – *Venezuelano (1954-) – Presidente da Venezuela, de cunho nacionalista, desde 1999.*

Do jeito que as coisas vão, FHC vende a bandeira nacional até 2002. Só sobrará o mastro.

Referindo-se às privatizações do governo FHC.

Itamar Franco – *Brasileiro (1930-) – Político, presidente do Brasil (1992-1994).*

A única coisa que os britânicos fizeram pela agricultura européia foi a vaca louca. Não dá para confiar em pessoas que têm uma cozinha tão ruim.

Em conversa com o chanceler alemão e o líder russo (2005).

Jacques Chirac – *Francês (1932-) – Ex-primeiro ministro, presidente.*

Desinfeto, porque nádegas indevidas se sentaram nela.

Ao sentar já como prefeito na cadeira na qual o candidato derrotado à prefeitura de São Paulo, FHC, tinha se sentado na véspera das eleições de 1985.

Jânio Quadros – *Brasileiro (1917-1992) – Político, presidente do Brasil em 1961 até renunciar ao mandato.*

É um corte de 40% na demagogia oficial.

Ao comentar a redução da promessa de criação de 10 milhões de empregos para 6 milhões no governo Lula (2004).

Jorge Bornhausen – *Brasileiro (1937-) – Senador do PFL, governador de Santa Catarina (1979-1982), ministro dos governos Sarney e Collor.*

Estudar direitos humanos na China é o mesmo que aprender japonês no Senegal.

Referente a uma viagem a trabalho que o deputado do PT e secretário-geral de Direitos Humanos, Nilmário Miranda, faria à China (2005).

José Carlos Aleluia – *Brasileiro (1947-) – Deputado federal do PFL.*

Oposição é como cachimbo. Nasceu pra levar fumo.

Sobre as tentativas de obstrução da votação das reformas no governo FHC (1998).

José Lourenço – *Luso-brasileiro (contemporâneo) – Ex-deputado federal da Bahia.*

Ciro é um genérico de Collor, com embalagem diferente, nome diferente, mas com o mesmo princípio ativo, o mesmo efeito.

Atacando Ciro Gomes, da coligação trabalhista (2002).

José Serra – *Brasileiro (1942-) – Ministro da Saúde de FHC, prefeito de São Paulo (2005-2006), candidato a presidente em 2002, candidato ao governo de São Paulo.*

O PT está propondo criar 10 milhões de empregos. Se eu quisesse fazer demagogia, proporia 11 milhões. Mas aí seria um concurso de Papai Noel.

Como candidato à presidência (2001).

José Serra

Daqui a pouco o Lula vai dizer que quem descobriu o Brasil não foi Pedro Álvares Cabral, foi ele.

Criticando a entrevista de Lula para a TV, em que desfilava suas realizações no governo (2005).

José Serra

Eles prometem tudo, crescimento e loteamento na Lua.

Falando, como candidato à presidência, sobre seus rivais, especialmente Lula (2002).

José Serra

Lula é uma máquina de dizer bobagem.

José Thomaz Nonô – *Brasileiro (1947-) – Advogado, deputado federal por Alagoas.*

Não seria fascinante fazer, agora, a elite brasileira engolir o Lula, este sapo barbudo?

Ao se aliar a Lula, no segundo turno, contra o candidato Fernando Collor.

Leonel Brizola – *Brasileiro (1922-2004) – Político, governador do Rio de Janeiro (1983-1987 e 1991-1994) e do Rio Grande do Sul (1959-1963).*

O Lula, que veio para reformar, está sendo reformado.

Criticando no programa do PDT a contratação de um marqueteiro pelo candidato petista à sucessão de FHC (2001).

Leonel Brizola

Esse Lula é um bobalhão.

Em 1987.

Leonel Brizola

Esse Collor... É filhote da ditadura.

Em 1989.

Leonel Brizola

Garotinho é o beijo da morte.

Lembrando que os candidatos apoiados pelo governador fluminense em 2000 perderam na região metropolitana do Rio.

Leonel Brizola

Se for bom para eles, não é bom para nós.

O então governador do Rio de Janeiro, sobre o Plano Cruzado no governo Sarney (1986).

Leonel Brizola

Mas é uma verdadeira rainha de Sabá, com tanta mordomia e cargos.

Sobre Benedita da Silva, na época vice-governadora do Rio de Janeiro (2000).

Leonel Brizola

Língua afiada 55

Garotinho é como uma bola, não tem lado e é oco por dentro.

Sobre seu ex-aliado.

Leonel Brizola

Estou pensando em criar um vergonhódromo para políticos sem-vergonha, que, ao verem a chance de chegar ao poder, esquecem os compromissos com o povo.

Leonel Brizola

O PT é como uma galinha que cacareja para a esquerda, mas põe os ovos para a direita.

Leonel Brizola

O presidente Collor foi para o único lugar onde o congelamento dá certo: a Antártida.

Referindo-se à viagem do presidente Collor à Antártida, durante o Plano Collor (1991).

Luis Eduardo Magalhães – *Brasileiro (1955-1998) – Deputado, filho de Antonio Carlos Magalhães.*

Tudo bem que o PT jogasse seu programa no lixo, ele era muito ruim mesmo. Mas precisava pegar justamente aquele que não servia mais nem para o PSDB?

Em 2003.

Luiz Carlos Mendonça de Barros – *Brasileiro (1942-) – Ministro das Comunicações de FHC.*

A Câmara não é a faxineira do governo para viver limpando a pauta obstruída pelo Planalto.

Sobre o excesso de medidas provisórias.

Luiz Eduardo Greenhalgh – *Brasileiro (1948-) – Deputado federal do PT, ligado ao MST.*

De todos os políticos do Congresso, pelo menos 300 são picaretas.

Em 1993.

Luiz Inácio Lula da Silva – *Brasileiro (1945-) – Político, fundador do PT, atual presidente do Brasil, desde 2003.*

Não era eu quem ia mexer na poupança?

Época do Plano Collor (1990).

Luiz Inácio Lula da Silva

56 Língua afiada

Porque Maluf é competente? Ele é competente porque compete, compete, compete e nunca ganha.

No debate na TV para a eleição presidencial (1989).

Luiz Inácio Lula da Silva

Maluf é imbatível em eleições indiretas.

Referindo-se ao candidato do governo no colégio eleitoral (1984).

Luiz Inácio Lula da Silva

Brizola é capaz de pisar no pescoço da própria mãe para ser presidente da República.

Luiz Inácio Lula da Silva

Se disputasse uma eleição, os votos do Sarney não dariam para encher um penico.

Luiz Inácio Lula da Silva

Se tem uma coisa que admiro nos Estados Unidos é que primeiro pensam neles, em segundo neles e em terceiro neles também. Se sobrar tempo, pensam um pouco neles outra vez.

Luiz Inácio Lula da Silva

Ele é tão burro que não consegue peidar e mascar chiclete ao mesmo tempo.

Relativo ao presidente Gerald Ford; depois se trocou "peidar" por "andar", para ficar menos vulgar.

Lyndon Johnson – *Americano (1908-1973) – 36º presidente (1963-1969).*

Itamar é um governador que tem os pés no chão. Todos os quatro.

Referindo-se à decretação da "moratória" de Minas pelo então governador, que deflagrou um aumento especulativo do dólar (1999).

Mailson da Nóbrega – *Brasileiro (1942-) – Economista, empresário, ministro da Fazenda de Sarney.*

Já li muitas coisas escabrosas na história republicana brasileira, mas nunca soube de alguém que inaugurou remendo de buraco em três comícios.

Sobre a peregrinação de inaugurações que Lula estava fazendo (final de 2005).

Marco Antonio Villa – *Brasileiro (contemporâneo) – Historiador.*

O problema desse governo é que ele mata os ricos de raiva e os pobres de fome.

Durante o governo Collor.

Maria da Conceição Tavares – *Luso-brasileira (1930-) – Economista, professora, ex-deputada federal do PT.*

Maluf é como um huno, por onde passa não cresce mais grama...

Concorreu com Paulo Maluf (PPB) ao governo de São Paulo no segundo turno e ganhou.

Mário Covas – *Brasileiro (1930-2001) – Governador de São Paulo (1995-2001), ex-candidato pelo PSDB em 1989.*

O Maluf está se tornando um grande agricultor. É o maior fazedor de laranjas que eu já vi.

Mário Covas

O PT é a UDN de tamanco e macacão.

Em 1984 (No *site* do PDT, atribui-se a autoria a Brizola, que a teria criado em 1990).

Miguel Reale Junior – *Brasileiro (1944-) – Ministro da Justiça de FHC.*

É como cruzamento de cavalo com vaca: não puxa carroça nem dá leite.

Sobre a eventual indicação do senador José Alencar (PL-MG) para vice na chapa de Lula.

Milton Temer – *Brasileiro (1938-) – Político do P-SOL, jornalista.*

Quando eles batem no governo não é para sair, mas para entrar mais um pouquinho.

Sobre as críticas dos aliados ao desempenho do governo FHC (1999).

Miro Teixeira – *Brasileiro (1945-) – Ex-ministro das Comunicações de Lula, deputado federal do Rio de Janeiro (PDT).*

A carga tributária vai... alcançar, no mínimo, 40% do PIB. Bem entendido, um espetáculo de pornografia tributária.

Sobre a reforma tributária em tramitação (2003).

Osíris Lopes Filho – *Brasileiro (contemporâneo) – Advogado, professor, ex-secretário da Receita Federal.*

Eu só não digo que esse governo é absolutamente incompetente porque não existe nada absoluto no mundo.

Na época do Sarney (1986-1990).

Osíris Silva – *Brasileiro (contemporâneo) – Executivo, ex-presidente da Embraer, ministro da Infra-Estrutura de Collor.*

A experiência de política internacional de Bill Clinton é restrita a tomar café da manhã na "International House of Pancakes".

Referindo-se a uma cadeia de *fast food* americana.

Pat Buchanan – *Americano (1938-) – Escritor, político, apresentador de televisão.*

Se você tiver uma fazenda e, na hora da colheita, tiver que optar entre um administrador petista e uma nuvem de gafanhotos, fique com os gafanhotos.

Paulo Maluf – *Brasileiro (1931-) – Político, governador de São Paulo (1979-1982).*

Nesse partido, todo mundo manda, ninguém obedece.

Paulo Melo – *Brasileiro (1957-) – Político do PMDB.*

Pobre México, tão perto dos Estados Unidos e tão longe de Deus.

Porfírio Diaz – *Mexicano (1830-1915) – Presidente.*

Esse homem é um gângster, um Al Capone travestido de homem público.

Como integrante do governo Collor, falando sobre PC Farias, então amigo do presidente Collor.

Renan Calheiros – *Brasileiro (1955-) – Político, presidente do senado, ministro da Justiça de FHC.*

A aliança Lula e Brizola é o casamento do analfabetismo com o obsoletismo.

Em 1998.

Roberto Campos – *Brasileiro (1917-2001) – Economista, político, ferino ensaísta e jornalista.*

Maluf não tem currículo, tem folha corrida.

Respondendo a Paulo Maluf.

Roberto Freire – *Brasileiro (1942-) – Político de Pernambuco, presidente do Partido Popular Socialista (PPS).*

O presidente Lula é uma espécie de Genoíno na presidência da República: não sabe o que lê, não sabe o que assina, não sabe o que faz.

Em discurso proferido pouco antes de ter o mandato cassado, ironizando o papel do presidente no escândalo, e comparando-o com Genoíno, que declarou não saber de nada do que tinha assinado (2005).

Roberto Jefferson – *Brasileiro (1953-) – Político, ex-deputado federal, cassado pelo Congresso, cujas denúncias fizeram explodir o escândalo do mensalão.*

Rato magro. Quem nunca comeu mel quando come se lambuza.

No discurso proferido momentos antes da cassação do seu mandato, referindo-se ao governo do PT (2005).

Roberto Jefferson

Vossa Excelência provoca em mim os instintos mais primitivos.

Referindo-se a José Dirceu (2005).

Roberto Jefferson

Língua afiada 59

O Congresso tem muitos homens de bens.

Robson Tuma – *Brasileiro (1968-) – Deputado federal, empresário, advogado.*

A única obra que o governo federal fez foi um presídio de segurança máxima. Deve ser para quando terminar o governo ir todo mundo para lá.

Referindo-se ao governo do PT (2005).

Rosinha Matheus – *Brasileira (contemporâneo) – Governadora do Rio de Janeiro (2003-), esposa do Anthony Garotinho.*

FHC é o presidente pomada. Só serve para uso externo.

Ao sentir incoerência entre o que o presidente diz no exterior e o que faz aqui dentro.

Rubens Bueno – *Brasileiro (1948-) – Ex-deputado federal, candidato a governador do Paraná (PPS).*

A candidatura da Roseana é como propaganda de cerveja: primeiro foi a paixão nacional. Depois, virou a número um. Depois, desceu redondo.

Sobre a meteórica ascensão e queda da candidata presidencial Roseana Sarney em 2002.

Rubens Bueno

Saddam pediu ao povo do Iraque que faça um sacrifício por seu país. Ele deveria ouvir seu próprio conselho.

Aconselhando Saddam a deixar o poder e acabar com a guerra (2003).

Saud Al-Faisal – *Saudita (1940-) – Príncipe, ministro do Exterior da Arábia Saudita.*

Então não me conte. Se você, que é o dono do segredo, não consegue guardá-lo, imagine eu.

Quando alguém tentou contar-lhe um segredo que ninguém podia saber.

Tancredo Neves – *Brasileiro (1910-1985) – Político, eleito indiretamente presidente, faleceu antes de assumir.*

Foi uma decisão imatura de ditador de republiqueta de terceira categoria.

Criticando a expulsão do jornalista americano, que criticou o Brasil em reportagem, pelo Lula, depois cancelada (2004).

Tasso Jereissati – *Brasileiro (1948-) – Governador do Ceará (1987-1991 e 1995-2002), senador e presidente do PSDB.*

Velho sim, velhaco não.

Em resposta a Fernando Collor, que o chamou de "velho gagá" (1989).

Ulysses Guimarães – *Brasileiro (1916-1992) – Político de destaque do PDMB, ativo na campanha pelas eleições diretas.*

Ele tem o carisma de um quebra-molas.

Sobre o vice-presidente Walter Mondale.

Will Durst – *Americano (1952-) – Comediante, colunista, apresentador de* talk show.

O senhor tomou a decisão de ser indeciso, sua vontade é de não ter vontade, e com energia férrea, o senhor deixa as rédeas do poder gradualmente se soltarem em sua crescente impotência.

Ao avaliar a política pacifista do primeiro-ministro Chamberlain em relação a Hitler (1937).

Winston Churchill – *Inglês (1874-1965) – Estadista, primeiro-ministro durante a Segunda Guerra Mundial.*

Parte 3

Causos e piadas

Causos

Veneno

Lady Astor a Churchill
– Se você fosse meu marido, eu colocaria arsênico no seu café
– Madame, se eu fosse seu marido, eu beberia.

Lady Astor – *Americana (1879-1964) – Política, ativista de direitos civis, foi membro do parlamento inglês.*
Winston Churchill – *Inglês (1874-1965) – Estadista, primeiro-ministro durante a Segunda Guerra Mundial.*

Hitler x Mussolini

Adolf Hitler criticando Benito Mussolini:
– Num mundo inseguro existem apenas duas coisas em que se pode confiar: na insegurança da Itália e na de Mussolini.
Benito Mussolini recebe e devolve:
– Provavelmente mentiroso; e maluco, com certeza.

Adolf Hitler – *Austríaco (1889-1945) – Ditador nazista da Alemanha (1933-1945) ligado ao extermínio de judeus e à deflagração da Segunda Guerra Mundial.*
Benito Mussolini – *Italiano (1883-1945) – Ditador fascista que apoiou a Alemanha na Segunda Guerra Mundial.*

Quem resolve

O presidente Café Filho para o seu ministro e amigo Costa Porto, que quase nunca despachava com ele:
– Porto, por que tu trazes tão pouco despacho?
– Café, no meu ministério, ou tenho problemas tão pequenos que eu mesmo resolvo, ou tão grandes que nem você resolve.

Café Filho – *Brasileiro (1899-1970) – Presidente do Brasil (1954).*
Costa Porto – *Brasileiro (1909-1984) – Ministro da Agricultura do presidente Café Filho.*

Será Getúlio militar?

O pai conversando com Getúlio Vargas, então com 8 anos.
– O que você quer ser quando crescer?
– Militar!
– Por que militar? Meu filho, você sabe que o militar se arrisca muito? Você sabe que o militar está sempre exposto a ser morto pelo inimigo?
– Então quero ser o inimigo.

Getúlio Vargas – *Brasileiro (1883-1954) – Presidente entre 1930-1945 e 1951-1954.*

Hora livre

Adhemar de Barros tinha interesse em ser nomeado pelo então presidente Getúlio Vargas.
Ao final do encontro, Getúlio perguntou:
– Por favor, dr. Adhemar, que horas são?
– As que Vossa Excelência quiser, presidente.

Adhemar de Barros – *Brasileiro (1901-1969) – Governador de São Paulo (1947-1951 e 1963-1966).*

Sentado ou em pé?

Mario Miguel do PTB pediu um aparte para Ivo Ramos do PL, que então disse:
– Vossa Excelência tem o aparte. Mas pode falar sentado mesmo, que o regimento da Câmara permite.
– Não, muito obrigado. Eu quero chamar Vossa Excelência de mentiroso é em pé mesmo.

Mario Miguel – *Brasileiro (contemporâneo) – Político do interior do Rio Grande do Sul.*

Bebedouro de animais

Manuel Ribas foi inaugurar um bebedouro de animais.
Não havia nenhum preparativo para a inauguração; então ele encheu um copo, bebeu e gritou:
– Está inaugurado o bebedouro dos animais.

Manuel Ribas – *Brasileiro (1873-1946) – Governador do Paraná (1935-1937), interventor.*

Os filhos do eleitor

João Botelho encontra um cabo eleitoral.
– Como vai? E a diletíssima esposa? E as crianças?
– Tudo bem, deputado. A mulher está ótima. Mas, por enquanto, é um menino só.
– E eu não sei que é um filho só? É um menino, certo, mas que vale por muitos. Então, como vão os meninos?

João Botelho – *Brasileiro (1908-1976) – Político, interventor.*

Filho ingrato

– Como vai seu pai, meu filho?
– Meu pai morreu há muito tempo, doutor Alkmin.
– Morreu para você, filho ingrato. Porque continua vivo no meu coração.

José Maria Alkmin – *Brasileiro (1901-1974) – Político mineiro, ministro da Fazenda de Juscelino, vice-presidente de Castelo Branco.*

Vizinho especial

Ao visitar a obra de sua casa, um vizinho se aproxima e diz:
– Doutor Alkmin, moro aqui ao lado. Estou às suas ordens.
– Eu sabia, meu filho, eu sabia. Isso influiu muito na minha escolha.

José Maria Alkmin

Avó precoce

Alkmin encontra Lia Salgado, uma soprano mineira da época:
– Mas como a senhora está jovem, dona Lia.
– Qual o quê, dr. Alkmin. Já sou até avó.
– A senhora pode ser avó por merecimento. Jamais por antigüidade.

José Maria Alkmin

Telegrama expresso

Alkmin fez aniversário e Tancredo Neves não lembrou. Dia seguinte encontrou Alkmin:
– Não pude visitá-lo, nem sequer telefonar. Mas passei um telegrama.
– Recebi e já respondi.

José Maria Alkmin

Tancredo Neves – *Brasileiro (1910-1985) – Político, eleito indiretamente presidente, faleceu antes de assumir.*

Papai ou governador?

Cortez Pereira no seu primeiro comício em Natal para governador:
– Ontem minha filha me perguntou "Como é que devo chamar o senhor: papai ou governador?" E eu respondi "Continue a me chamar de papai, porque você vai ter muitos irmãos, pois eu vou ser o papai do povo."

Cortez Pereira – *Brasileiro (1924-2004) – Governador do Rio Grande do Norte (1971-1975).*

Choveu?

A seca grassava na Paraíba. Um dia choveu um pouco em Monteiro e o prefeito Inácio Feitosa telegrafou:
– Governador José Américo: chuvas torrenciais cobriram todo Monteiro. População exultante. Saudações, Feitosa.
Quando comerciantes souberam do telegrama, perceberam a ameaça de cessar a ajuda ao município. Feitosa então mandou:
– Governador José Américo: cancelo chuvas. População continua aflita. Feitosa, prefeito.

Inácio Feitosa – *Brasileiro (séc. XX) – Prefeito de uma cidade na Paraíba.*

Ficha socialista

Em 1964, Aloísio Campos foi depor no 4º Exército em Recife. Um coronel o atendeu dizendo:
– Dr. Aloísio, consta aqui na sua ficha que o senhor é socialista. O senhor confirma ou desmente?
– O senhor pode me dar uma certidão? Há 20 anos que digo isso na Paraíba e ninguém acredita.

Aloísio Campos – *Brasileiro (séc. XX) – Economista, fazendeiro, deputado da Paraíba.*

Prazer mútuo

Maurício Dias, então na *Veja*, ligou para Benedito Valadares, tentando cavar uma entrevista:
– Senador, muito prazer em ouvir o senhor.
– Eu também tenho muito prazer em ouvi-lo, meu filho. Mas não tenho nenhum prazer em lhe falar.
E desligou.

Benedito Valadares – *Brasileiro (1892-1973) – Governador de Minas Gerais (1933-1945).*
Maurício Dias – *Brasileiro (contemporâneo) – Jornalista político.*

Reforma agrária

Otto Lara Resende, escritor mineiro, foi entrevistar Bias Forte,
ao ganhar as eleições para o governo de Minas:
– O que o senhor acha da reforma agrária?
– Sou a favor, agora mesmo estou fazendo uma reforma agrária
na minha fazenda...

Bias Fortes – *Brasileiro (1891-1971) – Governador de Minas Gerais (1956-1961).*

Suicídio anunciado

Quando um interesse foi atingido, um dos prejudicados mandou para
José Américo o seguinte recado:
– Diga-lhe que ou cede ou irei me suicidar dentro do seu gabinete.
A resposta logo veio:
– Se ele viesse matar-me, não cederia, quanto mais se matando.

José Américo – *Brasileiro (1887-1980) – Escritor, autor de* A Bagaceira, *membro da ABL, governador da Paraíba (1951-1953).*

Cearenses contrabandistas

Napoleão Nonô, ao responder a acusação de Carlos Lacerda, que
se referiu a cearenses contrabandistas:
– Deputado Carlos Lacerda, a bancada do Ceará protesta contra a acusação.
– Deputado Napoleão, eu não disse que os cearenses são
contrabandistas. Eu disse que há cearenses que fazem contrabando.
Entre os quais, incluo Vossa Excelência.

Carlos Lacerda – *Brasileiro (1914-1977) – Político, jornalista, governador da Guanabara, (1960-1965), na época a cidade do Rio de Janeiro, antes da fusão.*

Ouvido surdo

Uma vez um político disse para o Carlos Lacerda:
– O que Vossa Excelência me fala entra por um ouvido
e sai pelo outro.
– Impossível, nobre colega, o som não se propaga no vácuo.

Carlos Lacerda

Com quem está falando

Cassado pelos militares após 1964, Jânio estava em Paris, quando um turista perguntou na rua:
– Presidente, o senhor sabe quem sou eu?
– Ora, meu caro, se você, que é você, não sabe quem você é, como iria eu sabê-lo?

Jânio Quadros – *Brasileiro (1917-1992) – Político, presidente do Brasil em 1961 até renunciar ao mandato.*

Pan?

O presidente Costa e Silva chegou a São Paulo e deu uma entrevista coletiva, quando um jornalista saudou:
– A Jovem Pan deseja a Vossa Excelência feliz estada em São Paulo e uma boa viagem.
– Meu filho, quem é essa jovem?

Costa e Silva – *Brasileiro (1902-1969) – Presidente do Brasil (1967-1969).*

Mais que censura

Costa e Silva se encontrou com a dona do *Jornal do Brasil* na época, Condessa Pereira Carneiro, para se queixar do tratamento.
– Presidente, tratamos bem o governo. Como devemos. Somos um jornal com elegância, distinção, imparcialidade e neutralidade.
– Isso eu sei. Mas o que eu quero, o que eu gosto mesmo é de elogio.

Costa e Silva

Pergunta comprometedora

Em 1976, Geisel estava em Londres, onde grupos de brasileiros levaram faixas e manifestos protestando contra sua visita. Um jornalista encontrou o deputado José Bonifácio, líder da Arena, e perguntou:
– Deputado, o que o senhor está achando das faixas e manifestos?
– Não estou achando nada, meu caro. Não sei inglês.

José Bonifácio de Andrada – *Brasileiro (séc. XX) – Político.*

Transformação no campo

Mario Henrique Simonsen, quando ministro da Fazenda no governo Geisel, recebeu um fazendeiro, que simplesmente disse:
– Senhor ministro, depois que juro virou correção monetária, fazendeiro passou a ser empregado rural e roçar pasto chama-se agora investimento, nosso negócio acabou tornando-se uma merda.

Mário Henrique Simonsen – *Brasileiro (1935-1997) – Economista, professor, ministro da Fazenda de Geisel e do Planejamento de Figueiredo.*

O melhor governador

Um jornalista perguntando para o deputado federal Januário Feitosa, da Arena do Ceará:
– Deputado, quem foi o melhor governador do Ceará?
– Cada um foi melhor no tempo dele.

Januário Feitosa – *Brasileiro (1914-2005) – Político cearense.*

Sorriso encomendado

Paulo Maluf, ao ser recebido por Figueiredo em 1984, como pré-candidato da "situação":
– Sorria, presidente. Fique à vontade.
– A cara é minha. Fico como eu quero.

João Baptista Figueiredo – *Brasileiro (1918-1999) – Militar, presidente do Brasil (1979-1985).*
Paulo Maluf – *Brasileiro (1931-) – Político, governador de São Paulo (1979-1982).*

Arroz com feijão

Em 1988, sobre a política de combate à inflação no governo Sarney, então galopante, Mailson da Nóbrega afirmou:
– Agora vai ser arroz com feijão.
E Mário Henrique Simonsen arrematou:
– Se a política do feijão-com-arroz dá 600% de inflação ao ano, está faltando tempero.

Mailson da Nóbrega – *Brasileiro (1942-) – Economista, empresário, ministro da Fazenda de Sarney.*

Brizola x Maluf

Num debate eleitoral para as eleições de 1989, Paulo Maluf encontra Brizola e estende a mão para cumprimentá-lo. Por longos 15 segundos, a mão fica parada no ar. Aí Maluf pergunta:
– Como vai o senhor?
– Como vai o quê?
– Eu não vou cumprimentá-lo e ainda vou lavar minhas mãos depois.

Leonel Brizola – *Brasileiro (1922-2004) – Político, governador do Rio de Janeiro (1983-1987 e 1991-1994) e do Rio Grande do Sul (1959-1963).*
Paulo Maluf – *Brasileiro (1931-) – Político, governador de São Paulo (1979-1982).*

Brizola x Lula I

Em 1989, Brizola lança para Lula:
– Ele está ficando barrigudo e precisa trabalhar mais.
Lula devolve:
– Ele deveria abandonar sua candidatura e virar vendedor de discos da década de 30.

Leonel Brizola
Luiz Inácio Lula da Silva – *Brasileiro (1945-) – Político, fundador do PT, atual presidente do Brasil, desde 2003.*

Brizola x Lula II

Em 1989, Brizola comenta sobre Lula:
– Não vou resistir à tentação de dar uns cascudos nele quando estiver no ABC.
Lula dá o troco:
– O Brizola acha que o trabalhador é importante quando bate palmas debaixo de seu palanque, mas não aceita um trabalhador como candidato.

Leonel Brizola
Luiz Inácio Lula da Silva

Brizola x Lula III

Em 1989, Brizola critica Lula:
– Ele não é confiável. Eu apalpo, apalpo e sinto que ou há um mioma ou há dentes de jacaré.
Lula não deixa por menos:
– O Brizola é tão presunçoso que se fosse escrever um livro o título seria: "Eu me amo".

Leonel Brizola
Luiz Inácio Lula da Silva

Brizola x Lula IV

Em 1989, Brizola espeta Lula:
– O Lula é despreparado e incompetente, precisa de treino e menos vaidade, pois experiência não se ganha de um dia para o outro.
Lula contrapõe:
– Se o problema fosse experiência e idade, todos nós deveríamos votar no Ulysses.

Leonel Brizola
Luiz Inácio Lula da Silva

Collor x Itamar

Fernando Collor sobre seu vice Itamar Franco, pelas críticas que ele fez ao governo:
– Itamar é um perfeito idiota.
Itamar Franco devolveu na mesma moeda:
– Muito cedo, durante a sua atuação na presidência, percebi tratar-se de um canalha.

Fernando Collor de Mello – *Brasileiro (1949-) – Político, empresário, presidente do Brasil (1990-1992), cargo do qual foi afastado por* impeachment.
Itamar Franco – *Brasileiro (1930-) – Político, presidente do Brasil (1992-1994).*

Collor x Lula

Collor declarou sobre a CPI do caso PC:
– Estão querendo formar a CUG: Central Única dos Golpistas.
O Lula retrucou:
– Se a CPI criou a CUG, o governo Collor instalou a CUC: Central Única da Corrupção.

Fernando Collor de Mello
Luiz Inácio Lula da Silva – *Brasileiro (1945-) – Político, fundador do PT, atual presidente do Brasil, desde 2003.*

Bala na agulha

Em 1990, como presidente, Fernando Collor de Mello disse, em relação à inflação:
– Só tenho uma bala na agulha.
Newton Cruz respondeu, com muita propriedade:
– Um estadista que só tem uma bala na agulha deve usá-la na cabeça.

Fernando Collor de Mello
Newton Cruz – *Brasileiro (1924-) – General da reserva, ex-chefe do SNI.*

Âncora do real

FHC declarou, em relação ao Plano Real:
– A âncora do real é o povo.
Fernando Marroni, político do PT, detalhou o efeito da âncora:
– Enquanto os banqueiros flutuam, o povo afunda.

Fernando Henrique Cardoso – *Brasileiro (1931-) – Sociólogo, escritor, político, presidente do Brasil (1994-1998 e 1998-2002).*
Fernando Marroni – *Brasileiro (1956-) – Político, ex-prefeito do PT.*

Escolhendo o presidente

– Nessa eleição temos duas opções: votar em Jean-Paul Sartre ou escolher um encanador.
Disse Ruth Escobar, referindo-se à eleição de 1994 entre o intelectual FHC e Lula; então Lula retrucou:
– A Ruth Escobar pode passar a vida inteira sem um sociólogo, mas não pode passar sem um encanador.

Ruth Escobar – *Luso-brasileira (1936-) – Atriz, produtora cultural.*
Luiz Inácio Lula da Silva – *Brasileiro (1945-) – Político, fundador do PT, atual presidente do Brasil, desde 2003.*

Deus e a prefeitura

Em 1985, Boris Casoy perguntou ao então candidato à prefeitura de São Paulo, Fernando Henrique Cardoso, se ele acreditava em Deus. FHC respondeu:
– O senhor prometeu que não faria essa pergunta.
Depois FHC entrou em uma argumentação que passava longe de um “sim”. Esse debate teve muita repercussão na mídia. Jânio Quadros, que não compareceu ao debate, acabou vencendo a disputa pela prefeitura.

Fernando Henrique Cardoso – *Brasileiro (1931-) – Sociólogo, escritor, político, presidente do Brasil (1994-1998 e 1998-2002).*

Quem fala?

Fernando Henrique Cardoso, às vezes, ligava diretamente para as pessoas. Um dia, ainda como ministro, ele ligou, atendeu uma mulher, ele pediu para chamar o marido e completou:
– Olha, aqui quem fala é Fernando Henrique.
E a pessoa, do outro lado da linha, não acreditando:
– Ah é, está falando aqui com a rainha da Inglaterra.

Fernando Henrique Cardoso

Escolhendo o personagem

Paulo Maluf, como candidato à prefeitura de São Paulo, em 2000, prometendo isentar de IPTU 4 milhões de pessoas:
– Quero ser Robin Hood.
Marta Suplicy, candidata do PT, retrucou:
– Ele está mais para Ali Baba.

Paulo Maluf – *Brasileiro (1931-) – Político, governador de São Paulo (1979-1982).*

Marta Suplicy – *Brasileira (1945-) – Psicóloga, prefeita de São Paulo pelo PT (2001-2004), vice-presidente do PT.*

ACM x Jader I

Jader Barbalho sobre ACM:
– O senador Antonio Carlos age tipo batedor de carteira, que tira a bolsa da vítima e sai gritando "pega ladrão", para que ninguém preste atenção nele.
ACM sobre Jader:
– Eu não falo com ele por uma questão de higiene.
Heloísa Helena sobre a briga entre ACM e Jader:
– Só tenho paciência para agüentar briga de crianças com menos de 35 anos.

Jader Barbalho – *Brasileiro (1944-) – Ex-senador que renunciou para não ser cassado, deputado federal (PMDB).*

Antonio Carlos Magalhães – *Brasileiro (1927-) – Governador da Bahia (1971-1975, 1979-1983, 1991-1994), ministro das Comunicações de Sarney.*

Heloísa Helena – *Brasileira (1962-) – Senadora de Alagoas, candidata à presidência pelo P-SOL, dissidência à esquerda do PT.*

ACM x Jader II

Em 2001, Jader Barbalho sobre ACM, em referência às acusações que vinha recebendo:
– É a velha prostituta pregando a castidade neste país.
ACM devolveu:
– Todos sabem que não sou prostituta, mas todos sabem que ele é ladrão.

Jader Barbalho
Antonio Carlos Magalhães

ACM x Jader: livros

ACM acredita que o livro do jornalista João Carlos Teixeira Gomes, *Memórias das Trevas – Uma devassa na vida de Antonio Carlos Magalhães* foi patrocinado por Jader Barbalho.
Então ele lançou em 2002 o livro *Jader Barbalho – O Brasil não merece.*
– Eu não preciso de ninguém para escrever o que eu penso. Eu escrevo, assumo, assino e publico.

Jader Barbalho
Antonio Carlos Magalhães

Tortura infantil

Em entrevista no Programa do Jô, Garotinho insinuou que foi torturado durante a ditadura militar:
– Meus dedos sabem muito bem disso.
Arthur Virgílio comentou depois sobre essa entrevista:
– Tortura no Garotinho? Só se foi na creche. Devem ter atrasado a mamadeira dele.

Anthony Garotinho – *Brasileiro (1960-) – Político, governador do Rio de Janeiro (1999-2002).*
Arthur Virgílio – *Brasileiro (1945-) – Político, líder do PSDB no Senado.*

ACM x Serra

Sobre as denúncias envolvendo o tesoureiro de sua campanha presidencial em 2002, José Serra declarou:
– Isso é trololó de campanha eleitoral.
Antonio Carlos Magalhães remendou:
– Não é trololó, é dinheiroró mesmo.

José Serra – *Brasileiro (1942-) – Ministro da Saúde de FHC, prefeito de São Paulo (2005-2006), candidato a presidente em 2002, candidato ao governo de São Paulo.*
Antonio Carlos Magalhães – *Brasileiro (1927-) – Governador da Bahia (1971-1975, 1979-1983, 1991-1994), ministro das Comunicações de Sarney.*

Lula-lá?

André Buchsbaum, um dos autores, estava tomando um café numa lanchonete quando a vitória de Lula nas eleições já tinha sido confirmada.
Entra um homem gritando:

– Lula-lá, Lula-lá.
A balconista que estava servindo o café comenta:
– Pois é. Lula-lá e nós cá.

Balconista de uma lanchonete

Brasil hospital

Declara Antonio Palocci, otimista com os rumos da economia em 2003:
– Definitivamente, o Brasil saiu da UTI.
Ciro Botelho, humorista, não levando fé:
– E entrou no IML.

Antonio Palocci – *Brasileiro (1960-) – Político, médico, ex-ministro da Fazenda de Lula, afastado por denúncias de corrupção.*
Ciro Botelho – *Brasileiro (contemporâneo) – Humorista.*

Ó, louco

João Pedro Stedile, um dos líderes do MST, em Viena, durante seminário de entidades e partidos de esquerda, desestimulando investidores externos, declarou:
– Não venham para o Brasil, porque vocês vão perder dinheiro. Mais cedo ou mais tarde, vamos recuperar a soberania nacional.
Arthur Virgílio, líder da oposição do PSDB, comentou depois:
– Trata-se de um imbecil diagnosticado. Deve receber carteirinha de identificação e ter lugar privilegiado nos ônibus.

João Pedro Stedile – *Brasileiro (1953-) – Integrante da direção nacional do MST.*
Arthur Virgílio – *Brasileiro (1945-) – Político, líder do PSDB no Senado.*

Gordo x Baixinho

Referindo-se ao presidente do partido, José Carlos Martinez, que estaria negociando apoio ao bispo Edir Macedo, da Igreja Universal, Roberto Jefferson declara:
– Esse baixinho quer vender o PTB ao bispo. Ele caiu de pára-quedas no partido e quer usar seu cargo para fazer negócios.
José Carlos Martinez devolveu:
– Eu não engulo esse gordo.

Roberto Jefferson – *Brasileiro (1953-) – Político, ex-deputado federal, cassado pelo Congresso, cujas denúncias fizeram explodir o escândalo do mensalão.*
José Carlos Martinez – *Brasileiro (1948-2003) – Empresário, político.*

Estupro na câmera

Os deputados Jair Bolsonaro (PTB-RJ) e Maria do Rosário (PT-RS), diante das câmeras de uma rede de TV:

– O senhor é responsável por essas mortes todas, esses estupros, essa violência.

– Grava aí. Eu sou estuprador agora.

– É, o senhor é estuprador.

– Jamais iria estuprar você, porque você não merece.

Maria do Rosário – *Brasileira (1966-) – Política do PT.*
Jair Bolsonaro – *Brasileiro (1955-) – Deputado Federal.*

Casseta e a primeira-dama

Marisa da Silva, primeira-dama do governo Lula, para Cláudio Manuel, do Casseta & Planeta:

– Você tem falado mal da gente todo dia.

Cláudio Manuel, referindo-se ao dia que o programa é exibido:

– Não é todo dia, não. É só às terças-feiras.

Marisa da Silva – *Brasileira (1950-) – Primeira-dama do governo Lula.*

Longa herança

A jornalista Christiane Pelajo, na entrevista do *Jornal da Globo* em 30/08/2006, mostrou a Lula alguns dados sobre o ensino básico e arrematou:

– Não é um quadro desolador?

– É, é, agora isso é um acúmulo de 500 anos que está sendo mudado nos últimos 36 meses.

Luiz Inácio Lula da Silva – *Brasileiro (1945-) – Político, fundador do PT, atual presidente do Brasil, desde 2003.*

Piadas

Negócio caro

Dois políticos analisam uma proposta de negociata em Brasília. Eram muitos milhões em jogo. Um deles pergunta:

– Quanto nos dariam por isso?

– Num país sério, nos dariam uns 15 anos, eu acho.

Homem vitorioso

Político, em campanha eleitoral, tentando mostrar que é competente:
– Eu sou um homem que se fez por si mesmo!
E uma vozinha lá do fundo:
– E quando é que vai terminar o serviço?

Fim da dívida externa

Povo brasileiro: tenho uma boa e uma má notícia para todos vocês. A boa notícia é que a dívida externa está paga e a má notícia é que vocês têm 15 dias para deixar o país.

Origem do dinheiro

Um prefeito logo após a posse comprou uma casa de 300 mil reais. No dia seguinte, o muro amanheceu pichado "Prefeito, onde o senhor arrumou 300 mil reais?". Cheio de raiva, o prefeito ofereceu dez mil reais para quem denunciasse o autor da pichação. No dia seguinte o muro exibia "Prefeito, onde o senhor arrumou 310 mil reais?"

Trabalho x Capital

O político explica as questões relativas ao capital e ao trabalho e, para exemplificar, ele pede aos presentes que cada um lhe dê cem reais. Após a coleta, ele guarda o dinheiro no bolso e fala:
– Isto é o capital. Trabalho é o que vocês vão ter pra recuperar este dinheiro aqui.

Deputado doente

Um deputado contraiu febre aftosa. A boa notícia: será preciso abater toda a manada.

Cego que quer ver

Aquele governador candidato à reeleição estava em seu escritório, quando a secretária avisa:
– Governador, tem um eleitor cego aqui fora querendo lhe ver.
E ele responde:
– Aí já é demais! Diz a ele que eu ainda não estou fazendo milagres!!!

Justiça para político

Aquele político macaco velho estava sendo julgado por corrupção. Ele aguardava o julgamento em sua casa. De repente, toca o telefone e seu advogado de defesa diz:

– Doutor, finalmente a justiça foi feita!

– Então, vamos apelar! – emenda o político.

Pilha de políticos

A diferença entre a pilha e um político é que a pilha sempre tem um lado positivo!

Louco apoio

O presidente visitou um hospício. Lá todos os loucos gritavam:

– Viva o presidente!

Porém um assessor do presidente notou que um no meio dos loucos não estava gritando, aproximou-se e perguntou:

– Por que você não está gritando?

– Eu não sou louco, eu sou o médico.

O político e o papa

Um político corrupto famoso vai visitar o papa e, no final da audiência, Sua Santidade coloca a mão no bolso da batina e diz:

– Espere, meu filho. Eu vou lhe dar um terço...

– Nada feito! – protesta o político – Só aceito se for a metade!

O avião dos políticos

Um avião, transportando o presidente, seus assessores, todos os ministros, deputados e senadores, explode e cai. Quem se salva?

– O povo brasileiro!

Deus comparece

Um garoto queria muito cem reais para comprar um presente. Sua mãe não tinha condições e pediu que ele orasse. Então ele decidiu escrever uma carta para Deus, que o correio reencaminhou para o presidente, cujo assessor penalizado lhe enviou dez reais. Aí o garoto respondeu:

– Caro Deus, muito obrigado pelo dinheiro. Infelizmente, os idiotas do governo interceptaram a carta e roubaram quase tudo.

Muitas promessas

Depois de uma calorosa recepção feita pelos moradores de uma pequena cidade, o político subiu no palanque e mandou um discurso inflamado:
– Eu prometo casas, prometo emprego, prometo ruas pavimentadas, prometo uma ponte...
Um de seus assessores cochichou no seu ouvido:
– Mas, dotô, nessa cidade não tem rio!
E ele continuou o discurso, sem se abalar:
– Eu sei que aqui não tem rio mas, antes de fazer a ponte, eu faço o rio também!

Bush e o vendedor de bicicletas

George W. Bush tentava convencer Tony Blair a continuar os ataques ao Iraque e diz ao aliado:
– Blair, não tem erro, vai por mim...
– E a opinião pública internacional, Bush?
– Não esquenta. Ouça o meu plano. Vamos matar só mais 3 milhões de iraquianos e um vendedor de bicicletas.
– Um vendedor de bicicletas, Bush? Por quê?
– Está vendo? Ninguém se preocupa com os 3 milhões de iraquianos.

Presos políticos

Na época de Stalin, na União Soviética, três presos políticos conversam na pequena cela úmida:
– Por que você está preso?
– Fui preso por apoiar Karamov, e você?
– Não entendi. Eu fui preso por ser contra Karamov. E você, que está tão calado?
– Bem... eu sou Karamov.

A corrupção e a ponte

Político brasileiro corrupto visita político argentino, que conta vantagem:
– Está vendo aquela ponte ali? 20% estão no meu bolso.
O político argentino retribui a visita, e o político brasileiro aponta com orgulho:
– Está vendo aquela ponte ali?
– Não, não estou vendo nada!
– Ora, 100% estão no meu bolso.

Semelhança com Cristo

Um cabo eleitoral, muito safado, faz um discurso apresentando seu candidato, mais safado ainda:

– Olhem para este homem! Ele não tem os olhos de Cristo? Não tem os cabelos de Cristo?

Foi aí que um bêbado gritou:

– Então crucifica esse desgraçado.

Parte 4

Esses políticos...

Lapso de sinceridade

Na classe política, ninguém se salva, nem eu.

Acabou destituído da província argentina que governava (2002).

Alfredo Avelín – *Argentino (1917-) – Político.*

Não gosto de ler porque quem lê muito acaba confundindo suas idéias.

Antonio Rogério Magri – *Brasileiro (1941-) – Ministro do Trabalho de Collor.*

O momento culminante da minha vida pública foi chegar ao poder. O poder é muito bom. Não adianta querer enganar.

Carlos Lacerda – *Brasileiro (1914-1977) – Político, jornalista, governador da Guanabara, (1960-1965), na época a cidade do Rio de Janeiro, antes da fusão.*

A economia vai bem, mas o povo vai mal.

Emílio Garrastazu Médici – *Brasileiro (1905-1985) – Militar, presidente do Brasil no regime militar (1969-1974).*

Naquela época, eu era bastante mais pedante do que ainda sou.

Em 2000.

Fernando Henrique Cardoso – *Brasileiro (1931-) – Sociólogo, escritor, político, presidente do Brasil (1994-1998 e 1998-2002).*

As relações com o Congresso nem sempre ocorrem com a assepsia que a população espera.

Sobre a aprovação das reformas (1998).

Fernando Henrique Cardoso

O presidente Lula não gosta de ouvir assessores falando de problemas no governo. Ele prefere falar das realizações. Eu falava: presidente, está para estourar uma crise no setor de transportes. Ele mudava de assunto.

Em conversa com militantes do PT (2005).

José Dirceu – *Brasileiro (1946-) – Um dos fundadores do PT, ex-ministro da Casa Civil de Lula, ex-deputado, cassado por acusação de corrupção.*

Todos estaremos melhores quando o papa tiver embarcado de volta a Roma.

Durante a visita de 12 dias que João Paulo II fez ao Brasil em 1980, onde ele manifestou apoio ao movimento sindical liderado por Lula, na época do regime militar.

José Sarney – *Brasileiro (1930-) – Político do PMDB, senador, presidente do Brasil (1985-1990).*

A moratória da dívida externa foi o maior erro que nós já cometemos.

Em 1988, sobre a moratória decretada em 1987.

José Sarney

Como é que vou ser ministro da Saúde se desmaio quando vejo sangue?

Dias antes de aceitar a indicação para o cargo (1998).

José Serra – *Brasileiro (1942-) – Ministro da Saúde de FHC, prefeito de São Paulo (2005-2006), candidato a presidente em 2002 e candidato ao governo de São Paulo.*

O segundo mandato nunca é melhor que o primeiro.

Em entrevista ao programa *Roda Viva* (novembro de 2005).

Luiz Inácio Lula da Silva – *Brasileiro (1945-) – Político, fundador do PT, atual presidente do Brasil, desde 2003.*

Eu não queria concorrer. Esse negócio de reeleição é muito ruim.

Nos bastidores do *Jornal Nacional*, para o casal Bonner-Fátima (2006).

Luiz Inácio Lula da Silva

O pensamento de ser presidente me assusta e eu não acho que eu queira essa função.

Em 1973.

Ronald Reagan – *Americano (1911-2004) – Ator, 40º presidente (1981-1989).*

Argumentos para você votar no PT nas próximas eleições? Neste momento eu não saberia lhe dar argumentos.

Respondendo à pergunta de um jovem de 17 anos (2005).

Tarso Genro – *Brasileiro (1947-) – Ex-presidente do PT, ministro das Relações Institucionais de Lula, ex-prefeito de Porto Alegre.*

Inovando o Português

O plano é imexível.

Essa palavra que Magri começou a usar em março de 1990, no caso referindo-se ao Plano Collor, não existia mas era até plausível. Hoje em dia já consta no Dicionário Houaiss.

Antonio Rogério Magri – *Brasileiro (1941-) – Ministro do Trabalho de Collor.*

Penso muito durante meus momentos de solidez.

Antonio Rogério Magri

Vou ser ongueiro.

Ao deixar o cargo de presidente (2002).

Fernando Henrique Cardoso – *Brasileiro (1931-) – Sociólogo, escritor, político, presidente do Brasil (1994-1998 e 1998-2002).*

Não quero fulanizar o debate.

Garantindo que a mudança de regras sobre a reeleição valeria para qualquer um (1996).

Fernando Henrique Cardoso

Só quem não tem nada na cabeça é que fica repetindo que o governo é neoliberal. Isso é neobobismo.

Sobre as críticas à política social de seu governo (1997).

Fernando Henrique Cardoso

Em São Paulo, invadiu, vai desinvadir.

Em 2003.

Geraldo Alckmin – *Brasileiro (1952-) – Político do PSDB, governador de São Paulo (2001-2006), candidato a presidente para 2007.*

Fi-lo porque qui-lo.

Frase gramaticalmente errada. Jânio diz que afirmou, em relação a sua renúncia da presidência, "Fi-lo porque o quis".

Jânio Quadros – *Brasileiro (1917-1992) – Político, presidente do Brasil em 1961 até renunciar ao mandato.*

Hum... Pitoresco

Não falo bonito, mas também não roubo.

Recém-empossado presidente do Peru (2001).

Alejandro Toledo – *Peruano (1945-) – Ex-presidente do Peru.*

São dois pretos admirados por todo o Brasil.

Comparando Pelé ao asfalto.

Eliseu Padilha – *Brasileiro (1945-) – Deputado, ministro dos Transportes de FHC.*

Com barba ou sem barba, meu nome é Enéas.

Adendo feito ao tradicional bordão usado no horário gratuito nas eleições anteriores – "Meu nome é Enéas" (2006).

Enéas Carneiro – *Brasileiro (1938-) – Cardiologista, deputado.*

Sinto-me o irmão caçula do presidente Lula.

Como pré-candidato à presidência da Bolívia (2003).

Evo Morales – *Boliviano (1959-) – Presidente da Bolívia, líder do movimento nacionalista "coqualero".*

Duela a quien duela.

"Doa a quem doer", em espanhol, sobre a dureza de suas medidas (1990).

Fernando Collor de Mello – *Brasileiro (1949-) – Político, empresário, presidente do Brasil (1990-1992), cargo do qual foi afastado por* impeachment.

Só Deus sabe.

Ao ser questionado sobre as perspectivas da economia brasileira (2001).

Fernando Henrique Cardoso – *Brasileiro (1931-) – Sociólogo, escritor, político, presidente do Brasil (1994-1998 e 1998-2002).*

Eu sou cartesiano, mas tenho uma pitada de candomblé.

Em 1997.

Fernando Henrique Cardoso

Esse resultado foi um trabalho de Deus.

Para quem o risco de apagão foi afastado não pelo trabalho da Câmara de Gestão da Crise de Energia Elétrica, mas pelo bom volume de chuvas. (2002).

Fernando Henrique Cardoso

O governo não cacareja.

Sobre a discrição com que o governo divulga suas realizações (2001).

Fernando Henrique Cardoso

Isto é incrível. Eu mesmo não votei em mim.

Com apenas cinco votos.

Fernando Moreira – *Brasileiro (contemporâneo) – Candidato a deputado estadual do Rio de Janeiro.*

A nossa abertura vai ser como a que o Presidente Geisel adotou no Brasil: lenta, gradual e segura.

Em 1990.

Fidel Castro – *Cubano (1926-) – Líder carismático e polêmico, dirige Cuba desde 1959.*

Conheci Indiana Jones e fiquei muito impressionado.

Sobre Collor (1990).

George Bush – *Americano (1924-) – 41º presidente (1989-1993).*

Eu tenho que entender mais de reforma agrária do que você, danadinha.

Dirigindo-se a Fátima Bernardes, na entrevista que deu no *Jornal Nacional*, como candidata a presidente (2006).

Heloísa Helena – *Brasileira (1962-) – Senadora de Alagoas, candidata à presidência pelo P-SOL, dissidência à esquerda do PT.*

Quero dizer a Lula e a toda a sua equipe de governo: obrigado. Amor com amor se paga.

Agradecendo o apoio do governo brasileiro.

Hugo Chávez – *Venezuelano (1954-) – Presidente da Venezuela, de cunho nacionalista, desde 1999.*

No Brasil, a revolução será iniciada por meio da eleição de Lula.

Em 2002.

Hugo Chávez

O primeiro capitalista da História foi Judas, que vendeu Jesus Cristo por algumas moedas.

Hugo Chávez

É a economia, estúpido!

Ao indicar que esse fator decidiria a eleição norte-americana a favor de Bill Clinton (1992).

James Carville – *Americano (1944-) – Consultor político, comentarista.*

Bebo-o porque é líquido, se fosse sólido, comê-lo-ia.

Quando questionado a respeito do consumo excessivo de bebidas alcoólicas.

Jânio Quadros – *Brasileiro (1917-1992) – Político, presidente do Brasil em 1961 até renunciar ao mandato.*

A Igreja Católica apoiou o golpe de 64 e nem por isso os brasileiros deixaram de ser católicos. Isso mostra que o PT tem futuro.

Ao discursar em ato em sua homenagem (2005).

José Dirceu – *Brasileiro (1946-) – Um dos fundadores do PT, ex-ministro da Casa Civil de Lula, ex-deputado, cassado por acusação de corrupção.*

Ninguém merece seu voto. Vote em Ninguém.

Repetindo seu mote de 2002, que não funcionou (2006).

José Everaldo dos Santos – *Brasileiro (contemporâneo) – Candidato a deputado federal em Pernambuco.*

Eu vou te dar um abraço, meu amor. Daqui a pouco, eu pulo aí e te agarro.

A uma agricultora que gritava seu nome (2004).

Luiz Inácio Lula da Silva – *Brasileiro (1945-) – Político, fundador do PT, atual presidente do Brasil, desde 2003.*

Só eu vou beber? Jornalistas não bebem?

Com uma dose de uísque em um encontro com jornalistas (2004).

Luiz Inácio Lula da Silva

Minha mãe era pobre, mas era limpa.

Metáfora para dizer que o governo não esconde a sujeira (2006).

Luiz Inácio Lula da Silva

Sou marxista, mas não sou dogmática. Considero-me uma marxista-esotérica.

Luizianne Lins – *Brasileira (1968-) – Prefeita de Fortaleza pelo PT.*

O país precisa de um presidente macho.

Em 1989.

Paulo Maluf – *Brasileiro (1931-) – Político, governador de São Paulo (1979-1982).*

Candidato é como massa de bolo, tem que apanhar para ficar bom.

Paulo Maluf

Se a Amazônia é um patrimônio da humanidade, devíamos cobrar aluguel.

Paulo Maluf

Margareth Thatcher é o melhor homem da Inglaterra.

Ronald Reagan – *Americano (1911-2004) – Ator, 40º presidente (1981-1989).*

A minha estação sou eu que dirijo, mas quem manda é o presidente.

Referindo-se à rede SBT, no governo Figueiredo.

Sílvio Santos – *Brasileiro (1930-) – Empresário, apresentador de TV.*

Será?

Vamos viver em outro mundo a partir de hoje.

Sobre o Plano Cruzado (1986).

Dilson Funaro – *Brasileiro (1933-1989) – Ministro da Fazenda de Sarney, pai do Plano Cruzado.*

Continuarei governando até o último dia de meu mandato.

Fernando Collor de Mello – *Brasileiro (1949-) – Político, empresário, presidente do Brasil (1990-1992), cargo do qual foi afastado por* impeachment.

Levamos muitos anos sendo o país do futuro. Chegou o futuro, o futuro é hoje, o futuro é agora.

Em 1997.

Fernando Henrique Cardoso – *Brasileiro (1931-) – Sociólogo, escritor, político, presidente do Brasil (1994-1998 e 1998-2002).*

Só saio daqui cassado ou morto.

Jader Barbalho – *Brasileiro (1944-) – Ex-senador que renunciou para não ser cassado, deputado federal (PMDB).*

Eu estou presidente. Mas sou mesmo é dirigente sindical.

Durante encontro com dirigentes trabalhistas (2005).

Luiz Inácio Lula da Silva – *Brasileiro (1945-) – Político, fundador do PT, atual presidente do Brasil, desde 2003.*

Em 2007 não estarei mais aqui.

Durante encontro com reitores de universidades federais (2006).

Luiz Inácio Lula da Silva

Não queremos acabar com a classe média; queremos acabar com a classe pobre e transformá-la em média.

Luiz Inácio Lula da Silva

No meu tempo, nenhuma mulher será primeira-ministra.

Margaret Thatcher – *Inglesa (1925-) – Estadista, primeira-ministra (1979-1990).*

Hitler é um sujeito estranho que nunca se tornará chanceler. O melhor que ele pode esperar é a chefia dos correios.

Dois anos antes de Hitler se tornar chanceler (1931).

Paul Von Hinderburg – *Alemão (1847-1934) – General prussiano, presidente da Alemanha.*

Há uma urna no fim do túnel.

Na época da campanha Diretas Já, a urna "sumiu" e houve eleições indiretas (1984).

Ulysses Guimarães – *Brasileiro (1916-1992) – Político de destaque do PDMB, ativo na campanha pelas eleições diretas.*

A guerra final e definitiva para a liberdade humana.

Sobre a Primeira Guerra Mundial (1918).

Woodrow Wilson – *Americano (1856-1924) – 28º presidente (1913-1920).*

Sou capaz

Não tenho culpa se tive a capacidade de convencer as pessoas.

Negando excessiva acumulação de poder (1997).

Fernando Henrique Cardoso – *Brasileiro (1931-) – Sociólogo, escritor, político, presidente do Brasil (1994-1998 e 1998-2002).*

Na política, se você quer que algo seja dito, peça a um homem. Se você quer que algo seja feito, peça a uma mulher.

Margaret Thatcher – *Inglesa (1925-) – Estadista, primeira-ministra (1979-1990).*

Não tem como negar!

Chávez é presidente da Venezuela, não é presidente da América Latina.

Irritado com os palpites do colega venezuelano nas eleições de seu país (2006).

Alejandro Toledo – *Peruano (1945-) – Ex-presidente do Peru.*

O diabo do câmbio flutuante é que o danado flutua.

Admitindo que as variações do câmbio nem sempre agradam a todos (2005).

Antonio Palocci – *Brasileiro (1960-) – Político, médico, ex-ministro da Fazenda de Lula, afastado por denúncias de corrupção.*

Karl Marx nunca disse que os comunistas deveriam ser pobres.

Em 1986.

Deng Xiaoping – *Chinês (1904-1997) – Governante, mentor das reformas capitalistas na China.*

Hitler foi eleito pela maioria alemã. Há ocasiões em que mesmo a maioria pode errar.

Justificando a assinatura a favor da CPI dos Correios (2005).

Eduardo Suplicy – *Brasileiro (1941-) – Político, senador petista.*

O Rio é uma maravilha. Falam em crise e esse pessoal todo na praia!

Para o governador Anthony Garotinho, sobrevoando a Praia de Copacabana (1999).

Fernando Henrique Cardoso – *Brasileiro (1931-) – Sociólogo, escritor, político, presidente do Brasil (1994-1998 e 1998-2002).*

Os tais carismáticos, agressivos, perderam a eleição e o chuchu aqui teve 12 milhões de votos.

Em 2005.

Geraldo Alckmin – *Brasileiro (1952-) – Político do PSDB, governador de São Paulo (2001-2006), candidato a presidente para 2007.*

Se as mulheres são melhores que os homens, não sei dizer, mas posso dizer que elas não são piores.

Golda Meir – *Ucraniana (1898-1978) – Líder política de Israel.*

O povo brasileiro não merece os políticos que tem.

João Baptista Figueiredo – *Brasileiro (1918-1999) – Militar, presidente do Brasil (1979-1985).*

São precisos dois para fazer a paz.

John Kennedy – *Americano (1917-1963) – 35º presidente (1961-1963); seu assassinato permanece um mistério.*

O partido não é imobiliária.

Ao recusar a ajuda do PT para resolver seu grave problema de moradia (1997).

Luiz Inácio Lula da Silva – *Brasileiro (1945-) – Político, fundador do PT, atual presidente do Brasil, desde 2003.*

Não sou candidato a Deus.

Como candidato à presidência (2001).

Luiz Inácio Lula da Silva

Não fui eleito para santo.

Em 2004.

Luiz Inácio Lula da Silva

Pagar a dívida externa com a desgraça interna não dá pé.

Em 1989.

Ulysses Guimarães – *Brasileiro (1916-1992) – Político de destaque do PDMB, ativo na campanha pelas eleições diretas.*

Comparações exóticas

Meu primeiro emprego foi como locutor de corrida de cavalos. Aprendi que cavalo que sai na frente quase nunca ganha corrida.

Sobre o sucesso de Ciro Gomes nas pesquisas de opinião.

Anthony Garotinho – *Brasileiro (1960-) – Político, governador do Rio de Janeiro (1999-2002).*

Não somos tigres, não damos saltos felinos. Somos uma baleia que se move devagar, mas com firmeza.

Descartando a hipótese de que a crise na economia dos Tigres Asiáticos podia estender-se ao Brasil (1997).

Fernando Henrique Cardoso – *Brasileiro (1931-) – Sociólogo, escritor, político, presidente do Brasil (1994-1998 e 1998-2002).*

Se Cristo foi crucificado para nos salvar, por que não damos um pouco de sacrifício pelo Brasil?

Anunciando reformas que atingiriam alguns setores (2003).

Luiz Inácio Lula da Silva – *Brasileiro (1945-) – Político, fundador do PT, atual presidente do Brasil, desde 2003.*

Sou povo

Estou bronzeado. Graças à mistura de raças que há no Brasil.

Ao exibir a cor que pegou durante os feriados (1998).

Fernando Henrique Cardoso – *Brasileiro (1931-) – Sociólogo, escritor, político, presidente do Brasil (1994-1998 e 1998-2002).*

Sou mulatinho, tenho um pé na cozinha. Não tenho preconceito.

Fernando Henrique Cardoso

Eu nasci em São Paulo, mas minhas raízes são nordestinas. Eu sou baiano.

Em visita ao Recife.

Geraldo Alckmin – *Brasileiro (1952-) – Político do PSDB, governador de São Paulo (2001-2006), candidato a presidente para 2007.*

Pobre votar em rico, ou o rico é muito esperto, ou o pobre é muito besta.

Em 1994.

Luiz Inácio Lula da Silva – *Brasileiro (1945-) – Político, fundador do PT, atual presidente do Brasil, desde 2003.*

Ele já disse isso?

Fico muito satisfeito quando um empresário me chama de filho-da-puta... Isso é sinal de que a gente está fazendo alguma coisa pelos trabalhadores.

Em entrevista à revista *Playboy* (1979).

Luiz Inácio Lula da Silva – *Brasileiro (1945-) – Político, fundador do PT, atual presidente do Brasil, desde 2003.*

No mundo do trabalho é assim: quando a empresa está produzindo muito, ela contrata. Quando está produzindo menos, ela descontrata as pessoas.

Em relação à demissão de 1.800 pessoas anunciadas pela Volkswagen do ABC paulista, mesmo local onde Lula organizou greves como líder sindical e disse frases como a anterior, há 27 anos atrás (2006).

Luiz Inácio Lula da Silva

Temos de aprender com o Edir Macedo como arrecadar dinheiro.

Pensando no caixa de campanha à presidência (1998).

Luiz Inácio Lula da Silva

Eleição direta agora é golpe.

Já como favorito no colégio eleitoral, que deu sua vitória em 15 de janeiro de 1985 (novembro de 1984).

Tancredo Neves – *Brasileiro (1910-1985) – Político, eleito indiretamente presidente, faleceu antes de assumir.*

Já vi esse filme!

Essa escalada de denúncias retrata um país de ladrões impunes.

Depois de discursar contra a impunidade dos parlamentares (2000).

Pedro Simon – *Brasileiro (1930-) – Senador pelo PMDB, ministro da Agricultura de Sarney, governador do Rio Grande do Sul (1987-1990).*

Há controvérsias...

A esquerda não leu o que escrevi há trinta anos e, como acha que eu pensava naquela época as besteiras que ela pensa hoje, confunde as coisas e conclui que esqueci o que escrevi.

Em 2001.

Fernando Henrique Cardoso – *Brasileiro (1931-) – Sociólogo, escritor, político, presidente do Brasil (1994-1998 e 1998-2002).*

A democracia representativa não serve para nenhum país latino-americano.

Hugo Chávez – *Venezuelano (1954-) – Presidente da Venezuela, de cunho nacionalista, desde 1999.*

Um povo que não sabe nem escovar os dentes não está preparado para votar.

João Baptista Figueiredo – *Brasileiro (1918-1999) – Militar, presidente do Brasil (1979-1985).*

Tachar um crime de hediondo é admitir que existe crime adorável. É ridículo.

José Carlos Dias – *Brasileiro (1939-) – Advogado, ministro da Justiça do governo FHC.*

Nigéria e Brasil são os dois países com maior população afro-descendente do mundo.

Declaração feita na recepção ao presidente da Nigéria. Seria correto se considerarmos todos os mulatos como afro-descendentes. Em 2005, estimou-se uma população em torno de 84 milhões de negros e mulatos no Brasil (2005).

Luiz Inácio Lula da Silva – *Brasileiro (1945-) – Político, fundador do PT, atual presidente do Brasil, desde 2003.*

Greve sem corte de ponto é férias.

Em 2003.

Luiz Inácio Lula da Silva

O Brasil vai precisar de uma pessoa que não tem diploma para consertar a universidade brasileira.

Em alusão indireta a FHC (2002).

Luiz Inácio Lula da Silva

Gostaria que a Bíblia fosse obrigatória em todas as escolas públicas.

Falando a uma platéia de evangélicos (2002).

Luiz Inácio Lula da Silva

Se for para fazer a mesmice do que está aí, o PT não precisa ganhar.

Lula nas eleições de 2002.

Luiz Inácio Lula da Silva

Tenho a honra de ter trabalhado por 36 anos com carteira assinada.

Seu primeiro emprego com carteira foi em 1959; que completaria 36 anos em 1995. Só que a partir de 1982 ao disputar o governo de São Paulo pelo PT, ele já se dedicava apenas à política.

Luiz Inácio Lula da Silva

Nossa polícia é boa. O que atrapalha é essa política de direitos humanos para bandidos.

Paulo Maluf – *Brasileiro (1931-) – Político, governador de São Paulo (1979-1982).*

Democraticamente, o governo deve baixar o pau contra as invasões do MST.

Em 2003.

Raul Jungmann – *Brasileiro (1952-) – Deputado federal, ministro de Desenvolvimento Agrário de FHC.*

Todo grande moralista que conheci na vida, no fundo, tinha um desvio de conduta. Ou era ladrão ou abusava sexualmente de criança.

Roberto Jefferson – *Brasileiro (1953-) – Político, ex-deputado federal, cassado pelo Congresso, cujas denúncias fizeram explodir o escândalo do mensalão.*

O mundo dá voltas

Os políticos do PT são uns mijões nas calças, uns frouxos.

Em 1994.

Ciro Gomes – *Brasileiro (1957-) – Ministro da Integração Nacional de Lula (2003-2006) e ministro da Fazenda de Itamar (1994-1995), governador do Ceará (1991-1994), ex-candidato à presidência.*

Não quero o apoio do PMDB, que é dominado por um grupo de reconhecidos corruptos.

Então pré-candidato pelo PPS à presidência da República (2001); depois o PMDB se aliaria ao governo do PT e Ciro Gomes seria ministro.

Ciro Gomes

Fernando Henrique governa com medidas provisórias.

Em 2001.

Luiz Inácio Lula da Silva – *Brasileiro (1945-) – Político, fundador do PT, atual presidente do Brasil, desde 2003.*

Desabafo

Falando sério, eu não acho que eu me adapte à presidência.

Abraham Lincoln – *Americano (1809-1865) – 6º presidente (1861-1865), lutou contra a escravidão.*

Eu sou Al Gore. Eu costumava ser o futuro presidente dos Estados Unidos.

Falando num congresso como candidato à presidência em 2000 contra George W. Bush (2001).

Al Gore – *Americano (1948-) – Político, empresário, vice-presidente na era Clinton (1993-2001).*

Brizola me chamou de Judas, Mussolini, desonesto, louco, mentiroso, Jânio Quadros, Brutus, nova cara da direita.

Explicando por que não pôde apoiar o candidato do PDT à prefeitura do Rio (2000).

Anthony Garotinho – *Brasileiro (1960-) – Político, governador do Rio de Janeiro (1999-2002).*

Se um dia disser que vou entrar na política novamente, me coloquem numa camisa-de-força. E não precisa nem avisar a minha senhora.

Sobre sua participação na política.

Antonio Ermírio de Moraes – *Brasileiro (1928-) – Empresário do grupo Votorantim.*

Quando se está no governo, 90% das decisões que se tomam estão entre o desastre e o desagradável.

Antonio Kandir – *Brasileiro (1953-) – Ex-ministro do Planejamento de Collor.*

Virei a Geni das eleições. Todos me afagam quando precisam e apedrejam quando não digo o que desejam...

Sobre as críticas que recebe dos descontentes com os resultados das pesquisas pré-eleitorais.

Carlos Augusto Montenegro – *Brasileiro (1949-) – Executivo do IBOPE, ex-presidente do Botafogo.*

Eu prefiro ser surpreendido pela traição do que ficar a vida inteira esperando por ela.

Carlos Lacerda – *Brasileiro (1914-1977) – Político, jornalista, governador da Guanabara, (1960-1965), na época a cidade do Rio de Janeiro, antes da fusão.*

Quando dou comida para os pobres, eles me chamam de santo. Quando pergunto por que os pobres passam fome, eles me chamam de comunista.

D. Helder Câmara – *Brasileiro (1909-1999) – Arcebispo da ala progressista da Igreja Católica, ativista.*

Só há duas opções nesta vida: se resignar ou se indignar. E eu não vou me resignar nunca.

Darcy Ribeiro – *Brasileiro (1922-1997) – Antropólogo, educador, imortal da Academia, político brizolista.*

Eu só governo duas coisas no Brasil: a minha casa e o Colégio Pedro II.

Dom Pedro II – *Brasileiro (1825-1891) – 2º Imperador do Brasil.*

Eu não sou ministro, eu estou ministro.

Em 1981.

Eduardo Portella – *Brasileiro (1932-) – Crítico, ministro da Educação de Figueiredo, membro da ABL.*

Não me deixem só! Eu preciso de vocês.

Em 1999.

Fernando Collor de Mello – *Brasileiro (1949-) – Político, empresário, presidente do Brasil (1990-1992), cargo do qual foi afastado por* impeachment.

Não digo que meu sonho acabou. Sonhei um sonho errado.

Ao se desligar do PT (2003).

Fernando Gabeira – *Brasileiro (1941-) – Político do PV, escritor, jornalista, envolveu-se em um seqüestro político no tempo do governo militar.*

Quando chega o fim do ano, o presidente tem de ter muita imaginação.

Desculpando-se por falar pouco numa solenidade (1997).

Fernando Henrique Cardoso – *Brasileiro (1931-) – Sociólogo, escritor, político, presidente do Brasil (1994-1998 e 1998-2002).*

Precisa acabar no Brasil essa mentalidade atrasada de que o presidente vai passear. Tenha paciência.

Rebatendo críticas à sua passagem pela Ilha de Bali, na Indonésia (2003).

Fernando Henrique Cardoso

Tem muito pobre. Não tem outra conclusão, tem muito pobre.

Reconhecendo que, apesar dos avanços na área social, ainda há muito o que fazer (2002).

Fernando Henrique Cardoso

É incrível a quantidade de pessoas que ganham de você no golfe depois que você deixa de ser presidente.

George Bush – *Americano (1924-) – 41º presidente (1989-1993).*

A política é como uma droga. Não faz bem, mas você não consegue deixá-la.

Prometendo continuar na vida política.

Gonzalo Sánchez – *Boliviano (1930-) – Ex-presidente deposto da Bolívia.*

Dentro dos primeiros meses eu descobri que ser um presidente é como montar um tigre. Você precisa continuar conduzindo ou será engolido.

Harry Truman – *Americano (1884-1972) – 33º presidente (1945-1953).*

Não vou mudar. A palavra metamorfose só é bonita na música de Raul Seixas. Na política, é coisa de safado.

Heloísa Helena – *Brasileira (1962-) – Senadora de Alagoas, candidata à presidência pelo P-SOL, dissidência à esquerda do PT.*

Sou feio. Negro misturado com índio; este sou eu. Sou um pouco rude às vezes. O que posso fazer? Não vou mudar.

Em 2003.

Hugo Chávez – *Venezuelano (1954-) – Presidente da Venezuela, de cunho nacionalista, desde 1999.*

Eu pedi para me esquecerem e você me liga para lembrar? Não me amola.

A um repórter que o procurou para falar sobre os dez anos do fim do seu governo (1995).

João Baptista Figueiredo – *Brasileiro (1918-1999) – Militar, presidente do Brasil (1979-1985).*

Quero que me esqueçam.

Após o final de seu governo, em uma entrevista ao jornalista Alexandre Garcia, na TV Manchete.

João Baptista Figueiredo

Valeu a pena. Saio do governo bem mais próximo do povo do que quando entrei.

Em 1984.

João Baptista Figueiredo

Eles têm o direito de ser comunistas, eu admito até conversar com eles, agora o que eu não admito é que minha mãe esteja em pauta.

João Baptista Figueiredo

Sei que o país é essencialmente agrícola. Afinal, posso ser ignorante, mas não tanto.

João Baptista Figueiredo

Os quatro anos mais miseráveis da minha vida ...

Definição do exercício de seu cargo de presidente.

John Adams – *Americano (1735-1826) – 2º presidente dos Estados Unidos (1797-1801).*

Esse Collor nos traiu.

Do aliado, um dia após o Plano Collor, que fez o confisco das contas e poupanças (1990).

Jorge Bornhausen – *Brasileiro (1937-) – Senador do PFL, governador de Santa Catarina (1979-1982), ministro dos governos Sarney e Collor.*

Venho e volto do campo, e os bois são os mesmos, não mudam de caráter. Já os homens...

Em 2003.

Leonel Brizola – *Brasileiro (1922-2004) – Político, governador do Rio de Janeiro (1983-1987 e 1991-1994) e do Rio Grande do Sul (1959-1963).*

Serei como um cavalo inglês: só vou morrer na cancha.

Sobre a aposentadoria da vida pública.

Leonel Brizola

Quem o Severino pensa que é? Quem manda aqui sou eu. Não aceito pressão e não vou ficar refém de nenhum partido.

Após Severino Cavalcanti (PP-PE), então presidente da Câmera, ameaçar romper com o governo caso seu partido não fosse contemplado no primeiro escalão, na reforma ministerial (2005).

Luiz Inácio Lula da Silva – *Brasileiro (1945-) – Político, fundador do PT, atual presidente do Brasil, desde 2003.*

É mais fácil falar com marciano do que unir a esquerda.

Em 1990.

Luiz Inácio Lula da Silva

Nós éramos realmente muito estreitos, não vou negar. Na minha cabeça, o dono de um bar já era patrão, já era inimigo de classe.

Em 2000.

Luiz Inácio Lula da Silva

É melhor falar do que fazer bobagem.

Em 2005.

Luiz Inácio Lula da Silva

Em toda minha vida, nunca gostei de ser rotulado de esquerda. E, na primeira vez que me perguntaram se eu era comunista, respondi: "Sou torneiro mecânico".

Luiz Inácio Lula da Silva

Meu pedido de demissão, em 1979, foi uma espécie de Dia do Fico às avessas. Um Dia do Saio, já que era para felicidade geral da nação.

Sua austeridade na época de Figueiredo incomodava governo, empresário e oposição.

Mário Henrique Simonsen – *Brasileiro (1935-1997) – Economista, professor, ministro da Fazenda de Geisel e do Planejamento de Figueiredo.*

Já estou cansado de ganhar eleição na véspera.

Paulo Maluf – *Brasileiro (1931-) – Político, governador de São Paulo (1979-1982).*

Só Deus me tira da política.

Paulo Maluf

O Brasil é a amante que mais amei, mas a que mais me enganou.

Despedindo-se de 16 anos de vida parlamentar em meio a mais uma crise nacional (1999).

Roberto Campos – *Brasileiro (1917-2001) – Economista, político, ferino ensaísta e jornalista.*

O que é bom a gente mostra, o que é ruim a gente esconde.

Gravado em *off* em uma entrevista com ele, que culminou em sua demissão do cargo de ministro (1993).

Rubens Ricúpero – *Brasileiro (1937-) – Embaixador, ministro da Fazenda de FHC.*

Estamos cansados de fogo amigo... Queremos água.

Sobre as críticas ao governo feitas pela base aliada (2004).

Silvio Pereira – *Brasileiro (1961-) – Ex-secretário-geral do PT.*

O marxismo não faz sentido, e eu sou o primeiro a dizer que ele está errado.

Todor Zhivkov – *Búlgaro (1911-1998) – Ex-homem forte comunista da Bulgária durante 35 anos.*

E assim foi ...

Em três meses quero a direita indignada e a esquerda perplexa.

Após sua eleição (1989).

Fernando Collor de Mello – *Brasileiro (1949-) – Político, empresário, presidente do Brasil (1990-1992), cargo do qual foi afastado por* impeachment.

Não estou cogitando mexer no câmbio. Não vou mexer nem neste nem no outro mandato.

Num ato falho em que admite contar com a reeleição (1998).

Fernando Henrique Cardoso – *Brasileiro (1931-) – Sociólogo, escritor, político, presidente do Brasil (1994-1998 e 1998-2002).*

Parte 5

Mandou bem!

Filosofando

A maioria das pessoas é tão feliz quanto decide ser.

Abraham Lincoln – *Americano (1809-1865) – 6º presidente (1861-1965), lutou contra a escravidão.*

Deus deve amar os homens medíocres. Fez muitos deles.

Abraham Lincoln

E no fim, não são os anos em sua vida que importam. É a vida em seus anos.

Abraham Lincoln

Hipócrita é o homem que matou os pais e pede clemência alegando ser órfão.

Abraham Lincoln

Tato é a capacidade de descrever os outros como eles se vêem.

Abraham Lincoln

Nunca tome conselho de seus medos.

Andrew Jackson – *Americano (1767-1845) – 7º presidente dos Estados Unidos (1829-1837).*

Não existe melhor escola que a adversidade.

Benjamin Disraeli – *Inglês (1804-1881) – Estadista, primeiro-ministro.*

O homem não é um produto das circunstâncias, as circunstâncias é que são produtos do homem.

Benjamin Disraeli

Pequenas coisas só afetam as mentes pequenas.

Benjamin Disraeli

Nada convence tanto as pessoas de pouco juízo quanto o que elas não entendem.

Cardeal de Retz – *Francês (1614-1679) – Político.*

Não há noite tão longa que não encontre o dia.

Cardeal de Retz

Existo, logo penso.

Carlos Lacerda – *Brasileiro (1914-1977) – Político, jornalista, governador da Guanabara (1960-1965), na época a cidade do Rio de Janeiro, antes da fusão.*

O futuro não é o que tememos. É o que ousamos.

Carlos Lacerda

Se resolver parar de fumar, beber e amar, você realmente não vive mais tempo; apenas o tempo parece mais longo.

Clement Freud – *Inglês (1924-) – Jornalista, personalidade de TV, político.*

Depois dos oitenta não há inimigos, apenas sobreviventes.

David Ben-Gurion – *Polonês (1886-1973) – Estadista, ajudou na criação de Israel.*

Motivação é a arte de fazer as pessoas fazerem o que você quer que elas façam porque elas querem fazê-lo.

Dwight D. Eisenhower – *Americano (1890-1969) – 34º presidente (1953-1961).*

O que conta não é necessariamente o tamanho do cachorro na luta. É o tamanho da luta no cachorro.

Dwight D. Eisenhower

O coração nunca é neutro.

Earl of Shaftsbury – *Inglês (1621-1683) – Estadista.*

A superstição é a religião das mentes fracas.

Edmund Burke – *Irlandês (1729-1797) – Escritor, estadista.*

Há um limite em que a tolerância deixa de ser virtude.

Edmund Burke

O único critério infalível de sabedoria para as mentes vulgares é o sucesso.

Edmund Burke

A única coisa que devemos temer é o próprio medo.

Franklin Roosevelt – *Americano (1882-1945) – 32º presidente (1933-1945).*

A metafísica está no ar. Não podemos senão deixá-la ali.

George Clemenceau – *Francês (1841-1929) – Estadista na época da Primeira Guerra.*

Uma vida é uma obra de arte. Não há poema mais belo do que viver em plenitude.

George Clemenceau

Se você faz o melhor que pode, o futuro se cuida por si.

George Mitchell – *Americano (1933-) – Político, ensaísta.*

Feliz é aquele que pode rir de si mesmo. Ele nunca deixa de se divertir.

Habib Bourguiba – *Tunisiano (1903-2000) – Político, lutador pela independência da Tunísia.*

A ausência de alternativas clarifica maravilhosamente a mente.

Henry Kissinger – *Americano (1923-) – Político muito influente.*

Ninguém jamais vencerá a guerra dos sexos: há muita confraternização entre inimigos.

Henry Kissinger

O sucesso resulta de cem pequenas coisas feitas de forma um pouco melhor. O insucesso, de cem pequenas coisas feitas de forma um pouco pior.

Henry Kissinger

O direito de ser ouvido não inclui o direito de ser levado a sério.

Hubert Humphrey – *Americano (1911-1978) – Político democrata, vice-presidente.*

Você não pode apertar mãos com os punhos cerrados.

Indira Gandhi – *Indiana (1917-1984) – Líder política, primeira-ministra.*

Perdoe seus inimigos, mas não esqueça seus nomes.

John Kennedy – *Americano (1917-1963) – 35º presidente (1961-1963); seu assassinato permanece um mistério.*

É melhor sofrer o pior agora do que viver no eterno medo dele.

Júlio Cesar – *Romano (100-44 a.C.) – Estadista, escritor.*

O que está fora da vista perturba mais a mente dos homens do que aquilo que pode ser visto.

Júlio Cesar

Use sua erudição como se fosse um relógio de bolso: não saque ela para mostrar as horas, mas diga que horas são se alguém lhe perguntar.

Lord Chesterfield – *Inglês (1694-1773) – Estadista, escritor.*

O melhor modo de ganhar uma discussão é começar por estar certo.

Lord Hailsham – *Inglês (1907-2001) – Político.*

A arte da vida consiste em fazer da vida uma obra de arte.

Mahatma Gandhi – *Indiano (1869-1948) – Ativista político, engajou-se pela independência da Índia, tornando-se um símbolo do pacifismo. Seu verdadeiro nome é Mohandas K. Gandhi.*

As religiões são como caminhos diferentes que convergem para um mesmo ponto.

Mahatma Gandhi

Deus não tem religião.

Mahatma Gandhi

O medo tem alguma utilidade, mas a covardia não.

Mahatma Gandhi

Conservemos por sabedoria o que adquirimos pelo entusiasmo.

Marquês de Condorcet – *Francês (1743-1794) – Filósofo, político.*

Há ladrões que não se castigam, mas que nos roubam o que é mais precioso: o tempo.

Napoleão Bonaparte – *Francês (1769-1821) – Imperador, militar, envolveu-se em muitas guerras.*

Os homens são sempre contra a razão quando a razão é contra eles.

Napoleão Bonaparte

O temor do futuro é o pior dos medos.

Oswaldo Aranha – *Brasileiro (1884-1960) – Político, estadista.*

Um debate é uma troca de conhecimentos; uma discussão, uma troca de ignorâncias.

Robert Quillen – *Americano (1887-1948) – Humorista, cartunista, jornalista.*

O mais importante ingrediente na fórmula do sucesso é saber como lidar com as pessoas.

Theodore Roosevelt – *Americano (1858-1919) – 26º presidente (1901-1909).*

Não morda um prazer antes de certificar-se de que não tem um anzol oculto.

Thomas Jefferson – *Americano (1743-1826) – 3º presidente (1801-1809).*

Nós nunca nos arrependemos de ter comido pouco.

Thomas Jefferson

Quantos sofrimentos nos custaram os males que nunca ocorreram.

Thomas Jefferson

Ninguém, exceto a casa da moeda, pode fazer dinheiro sem publicidade.

Thomas Macauley – *Inglês (1800-1859) – Estadista, historiador.*

Minha mente é meu próprio templo.

Thomas Paine – *Americano (1773-1809) – Escritor, político, um dos signatários da Declaração de Independência Americana.*

Não fazer nada é o trabalho mais cansativo do mundo, pois você não pode se demitir e descansar.

Thomas Paine

O tempo converte mais pessoas que a razão.

Thomas Paine

Quando nós planejamos para a posteridade, devemos lembrar que a virtude não é hereditária.

Thomas Paine

Nunca ria da estupidez dos outros, pois ela é a tua chance.

Winston Churchill – *Inglês (1874-1965) – Estadista, primeiro-ministro durante a Segunda Guerra Mundial.*

Um homem é tão grande quanto as coisas que o deixam com raiva.

Winston Churchill

Uma das grandes lições da vida é que os tolos às vezes estão certos.

Winston Churchill

O mundo da política

Em política, tudo o que tem que ser explicado já está ruim.

Antonio Carlos Magalhães – *Brasileiro (1927-) – Governador da Bahia (1971-1975, 1979-1983, 1991-1994), ministro das Comunicações de Sarney.*

Esperteza, quando é muita, fica grande e come o dono.

Aureliano Chaves – *Brasileiro (1929-2002) – Político, governador de Minas Gerais (1975-1979), vice presidente (1979-1985).*

Quem não ouve com paciência não decide com precisão.

Aureliano Chaves

Em política, ou se trai o país ou o eleitorado. Prefiro trair o eleitorado.

Charles De Gaulle – *Francês (1890-1970) – Estadista, líder militar, presidente da França.*

Qualquer partido que ganha crédito pela chuva não pode se surpreender quando a oposição o culpa pela seca.

Dwight Morrow – *Americano (1873-1931) – Empresário, político.*

Não antecipo tragédias. Sempre crio condições para que as coisas não sejam piores.

Em 1999.

Fernando Henrique Cardoso – *Brasileiro (1931-) – Sociólogo, escritor, político, presidente do Brasil (1994-1998 e 1998-2002).*

Às vezes, vencer é saber esperar.

Getúlio Vargas – *Brasileiro (1883-1954) – Presidente entre 1930-1945 e 1951-1954.*

Eu não sou um oportunista. Sou um homem das oportunidades. Se um cavalo passar encilhado na minha frente, eu monto.

Getúlio Vargas

Política é esperar o cavalo passar.

Getúlio Vargas

Prefiro ser cabeça de sardinha que rabo de baleia.

Ao sair do PDS para o PL, um partido pequeno (1986).

Guilherme Afif Domingos – *Brasileiro (1943-) – Empresário, candidato à presidência em 1989, candidato a senador em São Paulo.*

Se não puder convencê-los, confunda-os.

Harry Truman – *Americano (1884-1972) – 33º presidente (1945-1953).*

Abençoados os jovens, pois eles herdarão a dívida nacional.

Herbert Hoover – *Americano (1874-1964) – 31º presidente americano (1929-1933).*

Partido é como igreja: sempre de portas abertas.

Herbert Levy – *Brasileiro (1912-2002) – Político, dono da* Gazeta Mercantil.

Os cargos são finitos, mas a vontade de ocupá-los é infinita.

A uma eleitora que pedia emprego público.

Inocêncio Oliveira – *Brasileiro (1938-) – Político, deputado.*

Em Minas Gerais, a política é como um crochê: não se pode dar ponto errado, sob pena de ter que começar tudo de novo.

Itamar Franco – *Brasileiro (1930-) – Político, presidente do Brasil (1992-1994).*

Governarei de acordo com o bem geral, não de acordo com a vontade geral.

Jaime I – *Escocês (1566-1625) – Rei da Inglaterra (1603-1625).*

Ministro é como fusível. Quando se queima, precisa ser trocado.

João Herrmann – *Brasileiro (1946-) – Deputado federal.*

Se não podemos encerrar nossas diferenças, pelo menos podemos ajudar a tornar o mundo seguro para a diversidade.

John Kennedy – *Americano (1917-1963) – 35º presidente (1961-1963); seu assassinato permanece um mistério.*

Se somos fortes, nossa força falará sozinha. Se somos fracos, palavras não ajudarão.

John Kennedy

Volto atrás, sim. Com o erro, não há compromisso.

Juscelino Kubitschek – *Brasileiro (1902-1976) – Presidente (1956-1961).*

Um método infalível de entrar em acordo com um tigre é deixar ele te devorar.

Konrad Adenauer – *Alemão (1876-1976) – Político, chanceler alemão.*

A crise brasileira é um potro bravio. Para domá-la, tem de ser muito guapo.

Leonel Brizola – *Brasileiro (1922-2004) – Político, governador do Rio de Janeiro (1983-1987 e 1991-1994) e do Rio Grande do Sul (1959-1963).*

Nós queremos um regime que não seja apenas da raposa, queremos um regime da raposa e da galinha, onde existam espaços para os dois.

Leonel Brizola

Não somos tão ruins quanto nossos adversários apregoam nem tão bons quanto pensamos que somos.

Em 2004.

Luiz Inácio Lula da Silva – *Brasileiro (1945-) – Político, fundador do PT, atual presidente do Brasil, desde 2003.*

Política a gente faz com o que tem e não com o que quer.

Em 2006.

Luiz Inácio Lula da Silva

Governo é como feijão: só funciona na pressão.

Justificando as manifestações de servidores contra a reforma da Previdência (2003).

Luiz Marinho – *Brasileiro (contemporâneo) – Ministro do Trabalho, ex-presidente da CUT.*

Aprenda com as massas; depois, ensine-as.

Mao Tse-Tung – *Chinês (1883-1976) – Líder comunista.*

Matar o elefante é fácil. Difícil é remover o cadáver.

Mikhail Gorbatchov – *Russo (1931-) – Último dirigente da antiga URSS, que comandou o processo de abertura do regime comunista.*

Falar mal do governo é tão bom que não pode ser privilégio só da oposição.

Milton Campos – *Brasileiro (1900-1972) – Político, um dos fundadores da antiga UDN.*

A melhor maneira de manter sua palavra é não dá-la.

Napoleão Bonaparte – *Francês (1769-1821) – Imperador, militar, envolveu-se em muitas guerras.*

Circunstâncias? Eu crio as circunstâncias.

Napoleão Bonaparte

A glória é fugaz, mas a obscuridade é eterna.

Napoleão Bonaparte

A única ocasião em que alguém pode descontrolar-se é quando o faz de propósito.

Richard Nixon – *Americano (1913-1994) – 37º presidente (1969-1974), renunciou após o escândalo Watergate.*

Candidato é como animal no cio. Deve falar pouco e agir muito!

Avisando que seu discurso seria curto durante um painel na Fundação Getúlio Vargas (1998).

Roberto Campos – *Brasileiro (1917-2001) – Economista, político, ferino ensaísta e jornalista.*

Quando cheguei ao Congresso, queria fazer o bem. Hoje acho que o que dá para fazer é evitar o mal.

Roberto Campos

É uma velha verdade que na política se pode muitas vezes aprender com o inimigo.

Vladimir Lenin – *Russo (1870-1924) – Revolucionário, estadista, líder da Revolução Russa de 1917.*

Eu não posso ficar imparcial entre a brigada de incêndio e o fogo.

Winston Churchill – *Inglês (1874-1965) – Estadista, primeiro-ministro durante a Segunda Guerra Mundial.*

Se você quer fazer inimigos, tente mudar alguma coisa.

Woodrow Wilson – *Americano (1856-1924) – 28º presidente (1913-1920).*

Cheio de graça

Na América qualquer garoto pode se tornar presidente e suponho que esse é apenas um dos riscos que ele corre.

Adlai Stevenson – *Americano (1900-1965) – Político do partido democrata, candidato a presidente.*

Se meus inimigos pararem de dizer mentiras a meu respeito, eu paro de dizer verdades a respeito deles.

Adlai Stevenson

A única matéria-prima da América Latina que mantém seu valor, ou sobe de preço constantemente, é a coca e seus derivados.

Alan García – *Peruano (1949-) – Presidente peruano.*

Ainda não, deputado, mas agradeço pela profecia.

Na Assembléia Legislativa, ao ser chamado de presidente por um deputado do PFL (1999).

Anthony Garotinho – *Brasileiro (1960-) – Político, governador do Rio de Janeiro (1999-2002).*

Ser presidente é como administrar um cemitério. Há um monte de gente embaixo de você, mas ninguém escuta.

Bill Clinton – *Americano (1946-) – 42º presidente (1993-2001).*

Como se pode governar um país que produz 246 espécies de queijo?

Charles De Gaulle – *Francês (1890-1970) – Estadista, líder militar, presidente da França.*

Quem gosta de ser vice é o Vasco.

Recusando-se a ser vice na chapa de Benedita da Silva nas eleições municipais e ironizando o Vasco, já que é torcedor do Flamengo.

Chico Alencar – *Brasileiro (1949-) – Político, deputado federal do P-SOL.*

Chega de falar de mim. Vamos falar de você. O que você pensa de mim?

Edward Koch – *Americano (1924-) – Colunista, político, escritor.*

A única maneira de nós obtermos um exército voluntário é arrastá-los.

F. Edward Herbert – *Americano (contemporâneo) – Político.*

Por favor, Malan, fale em português.

Ao dar a palavra ao ministro da Fazenda, Pedro Malan, em um jantar com senadores (2000).

Fernando Henrique Cardoso – *Brasileiro (1931-) – Sociólogo, escritor, político, presidente do Brasil (1994-1998 e 1998-2002).*

Gostei tanto de Rondônia que até beijei o chão.

Depois de escorregar e cair da escada que levava ao palanque (1997).

Fernando Henrique Cardoso

Se o mercado fica nervoso, dá calmante, passa.

Fernando Henrique Cardoso

Custa caro bater no Fundo. Costuma doer mais em quem bate.

Em 1986, referindo-se ao FMI (em 1987 o mesmo governo decretaria moratória).

Fernão Bracher – *Brasileiro (1935-) – Banqueiro, ex-presidente do Banco Central.*

No dia em que acontecer mesmo, não sei como convenceremos as pessoas de que é verdade.

A respeito dos boatos de que estaria morto (1997).

Fidel Castro – *Cubano (1926-) – Líder carismático e polêmico, dirige Cuba desde 1959.*

Cheguei à conclusão, talvez um pouquinho tarde, de que os discursos devem ser curtos.

Famoso por fazer discursos de até sete horas (2000).

Fidel Castro

Acho que quem gostou da nossa moratória foi só Cuba.

Sobre a moratória decretada em 1987 no governo Sarney.

Francisco Gros – *Brasileiro (1942-) – Executivo, economista, ex-presidente do Banco Central.*

FHC é vaidoso. Pensa que pode resolver todos os problemas do mundo. Mas eu sou megalomaníaco. Tenho certeza de que posso resolver todos os problemas do mundo.

Em 1998.

José Serra – *Brasileiro (1942-) – Ministro da Saúde de FHC, prefeito de São Paulo (2005-2006), candidato a presidente em 2002, candidato ao governo de São Paulo.*

Agora só falta direito ao voto duplo da mulher grávida.

Em 1988, sobre a constituinte que iria estabelecer na Constituição o voto aos 16 anos.

Leitão de Abreu – *Brasileiro (1913-1992) – Ministro do Supremo Tribunal Federal.*

Pra gaúcho esse Viagra é *overdose*.

Leonel Brizola – *Brasileiro (1922-2004) – Político, governador do Rio de Janeiro (1983-1987 e 1991-1994) e do Rio Grande do Sul (1959-1963).*

Tu sabes do que me ocupo quando não estou pensando em política? Eu durmo.

Leonel Brizola

Esse negócio de experiência sabe o que me lembra? Me lembra o Mandela. Sabe qual era a experiência do Mandela? 27 anos de cadeia.

Comentando sobre o quesito experiência para a candidatura à presidência, já que Mandela se tornou o presidente da África do Sul (2002).

Luiz Inácio Lula da Silva – *Brasileiro (1945-) – Político, fundador do PT, atual presidente do Brasil, desde 2003.*

O mercado está nervoso? Eu não estou, estou calmo.

Sobre os boatos de que Henrique Meirelles deixaria a presidência do Banco Central (2004).

Luiz Inácio Lula da Silva

Vai faltar morto ilustre para estampar novas cédulas.

Desiludido com a inflação altíssima (1998).

Mailson da Nóbrega – *Brasileiro (1942-) – Economista, empresário, ministro da Fazenda de Sarney.*

Isso já não é uma operação abafa, é ocultação de cadáver.

Sobre o empenho do governo para evitar a CPI da Corrupção no governo FHC (2001).

Milton Temer – *Brasileiro (1938-) – Político do P-SOL, jornalista.*

As esquerdas brasileiras fora do poder são festivas. No poder, são aquisitivas.

Em 1987.

Roberto Campos – *Brasileiro (1917-2001) – Economista, político, ferino ensaísta e jornalista.*

Meu Deus, globalizaram o menino.

Ao ouvir o agradecimento em inglês de um menino a quem deu esmola, em Salvador.

Sepúlveda Pertence – *Brasileiro (1937-) – Ministro do Supremo Tribunal Federal.*

Não é nada disso, minha filha. Macho é hoje uma palavra unissex.

Ao dizer que campanha eleitoral era "uma luta para machos" e ser acusado de machista por uma deputada.

Tancredo Neves – *Brasileiro (1910-1985) – Político, eleito indiretamente presidente, faleceu antes de assumir.*

Falou e disse!

Depois que eu morrer, prefiro que as pessoas perguntem por que eu não tenho um monumento do que perguntem por que eu tenho.

Cato, o Velho – *Romano (234-149 a.C.) – Escritor, estadista.*

A questão não é que o governo gasta muito, mas que gasta mal.

No governo Sarney (1986).

Edmar Bacha – *Brasileiro (1942-) – Economista, professor, ex-presidente do IBGE.*

Para mim, governo ético não é só o que não rouba e não deixa roubar, mas é o governo eficiente.

Geraldo Alckmin – *Brasileiro (1952-) – Político do PSDB, governador de São Paulo (2001-2006), candidato a presidente para 2007.*

O Brasil é um país em construção, com paredes levantadas e janelas faltando.

José Serra – *Brasileiro (1942-) – Ministro da Saúde de FHC, prefeito de São Paulo (2005-2006), candidato a presidente em 2002, candidato ao governo de São Paulo.*

Amanhã alguém pediria para o governo legalizar a prostituição infantil, também em nome da criação de empregos.

Sobre os protestos pedindo a reabertura dos bingos (2004).

Luiz Inácio Lula da Silva – *Brasileiro (1945-) – Político, fundador do PT, atual presidente do Brasil, desde 2003.*

Eu não vou fazer a reforma agrária que o MST pretende, trocando miseráveis urbanos por miseráveis rurais, apenas para apresentar número de assentados que nada produzem.

Em 2003.

Luiz Inácio Lula da Silva

Não agüento mais presidente latino-americano ficar jogando a culpa das desgraças do Terceiro Mundo no imperialismo. Isso é uma bobagem.

Em 2004.

Luiz Inácio Lula da Silva

Parte 6

Política & Políticos

Política

A política é a administração da coisa pública para interesses privados.

Ambrose Bierce – *Americano (1842-1914) – Jornalista, escritor, autor do* Dicionário do Diabo, *contendo aforismos.*

A política não é a arena da ética, é a arena dos interesses.

Aneurin Bevan – *Inglês (1897-1960) – Político.*

Na política existe apenas um caminho: os outros.

Anônimo

Política é a arte de resolver problemas sem criar problemas maiores.

Anônimo

A política se parece com a esfinge: ela devora todos que não conseguem decifrá-la.

Antoine Rivarol – *Francês (1753-1801) – Jornalista.*

Em política não existem convicções, existem somente circunstâncias.

Charles Maurice de Talleyrand-Périgord – *Francês (1754-1838) – Político, diplomata.*

Deve-se esperar tudo da política, onde tudo é permitido, menos se deixar surpreender.

Charles Maurras – *Francês (1868-1952) – Poeta, jornalista.*

Política: o nome diplomático para a lei da selva.

Ely Culbertson – *Americano, de origem romena (1891-1955) – Editor de revista sobre* bridge.

Política: a arte de fazer aos outros o que não queremos que nos façam.

Emile Bergerat – *Francês (1845-1923) – Romancista, poeta, jornalista.*

Política é a arte de procurar por problemas, encontrando-os, existam ou não, e dando-lhes o remédio errado.

Ernest Behn – *Americano (contemporâneo) – Escritor.*

A política é como um curral: tira-se o pé da merda, para pisar na bosta.

Grafite na Alemanha

A verdade não faz política e vice-versa.

Guy Konopnicki – *Francês (1945-) – Jornalista.*

Política: quem obtém o quê, quando e como.

Harold D. Lasswell – *Americano (1902-1978) – Cientista político.*

A política não consiste em fazer calar os problemas, mas sim em silenciar aqueles que os colocam.

Henri Queuille – *Francês (1884-1970) – Político.*

A politicagem consiste em ignorar fatos.

Henry Brooks Adams – *Americano (1838-1918) – Historiador, escritor.*

Política, na prática, seja de que tendência for, é a organização sistemática do ódio.

Henry Brooks Adams

Errar é humano. Culpar outra pessoa é política.

Hubert Humphrey – *Americano (1911-1978) – Político democrata, vice-presidente.*

A política é um ato de equilíbrio entre as pessoas que querem entrar e aquelas que não querem sair.

Jacques Bossuet – *Francês (1627-1704) – Teólogo, pregador, historiador.*

A política é o conjunto de procedimentos em que homens sem visão conduzem homens sem memória.

Jean Mistler – *Francês (1897-1988) – Escritor.*

Nada é melhor em política do que uma memória curta.

John Kenneth Galbraith – *Canadense (1908-2006) – Economista, escritor, crítico da sociedade americana.*

Política é a arte de governar com o máximo de promessas e o mínimo de realizações.

Júlio Camargo – *Brasileiro (1928-) – Escritor, jornalista.*

Os governos são as velas, o povo é o vento, o Estado é o barco, e o tempo é o mar.

Karl Ludwig Borne – *Alemão (1786-1837) – Escritor, editor.*

Política: a arte de prometer, não cumprir e mesmo assim ter sucesso.

Léo Campion – *Francês (1905-1992) – Cantor, caricaturista.*

A política é a arte de se servir dos homens fazendo-os crer que se está prestando um serviço a eles.

Louis Dumur – *Francês (1864-1933) – Dramaturgo.*

Política é como nuvem. Você olha e ela está de um jeito. Olha de novo e ela já mudou.

Magalhães Pinto – *Brasileiro (1909-1996) – Banqueiro ligado ao antigo Banco Nacional, político.*

O melhor partido não passa de um tipo de conspiração contra o restante da nação.

Marquês de Halifax – *Inglês (1633-1695) – Estadista, escritor.*

Em política nada se perde e nada se transforma – tudo se corrompe.

Millôr Fernandes – *Brasileiro (1924-) – Escritor, cronista, humorista, aforista, tradutor, autor do livro de frases próprias* Millôr Definitivo – A Bíblia do Caos.

A palavra "virtude política" é uma contradição.

Napoleão Bonaparte – *Francês (1769-1821) – Imperador, militar, envolveu-se em muitas guerras.*

Nem tudo é política, mas a política se interessa por tudo.

Nicolau Maquiavel – *Italiano (1469-1527) – Político, filósofo, autor do ensaio político* O Príncipe.

Política é a arte do possível.

Otto von Bismarck – *Alemão (1814-1898) – Estadista, militar.*

Política é a forma de impedir que as pessoas cuidem de suas próprias vidas.

Paul Valéry – *Francês (1871-1945) – Escritor filosófico e poeta.*

Política é a única profissão do mundo em que não é necessário treinamento.

Robert Louis Stevenson – *Escocês (1850-1894) – Poeta, escritor, autor de* O Médico e o Monstro.

A máquina política triunfa porque é uma minoria unida atuando contra uma maioria dividida.

Will Durant – *Americano (1885-1981) – Filósofo, historiador, autor do livro, em vários volumes,* História das Civilizações.

Políticos

Um político é um homem que se aproxima de todos os problemas com a boca aberta.

Adlai Stevenson – *Americano (1900-1965) – Político do partido democrata, candidato a presidente.*

A semelhança entre um disco voador e um político honesto é que você já ouviu muita gente falar que eles existem, mas jamais viu um deles.

Anônimo

Faça um político trabalhar: não o reeleja.

Anônimo

Uma pesquisa mostrou que 93% da população não acredita nos políticos, o restante são políticos.

Anônimo

Você sabe que um político está mentindo quando... seus lábios se movem.

Anônimo

Os vivos são e serão sempre, cada vez mais, governados pelos mais vivos.

Barão de Itararé – *Brasileiro (1895-1971) – Humorista, jornalista, cujo verdadeiro nome é Apparício Torelly.*

Ronald Reagan não é o político típico, porque ele não sabe como mentir, enganar ou roubar. Ele sempre teve um agente para isso.

Bob Hope – *Americano, de origem inglesa (1903-2003) – Comediante, ator.*

É fácil falar em nome do povo: ele não tem voz.

Carlos Drummond de Andrade – *Brasileiro (1902-1987) – Grande poeta modernista, cronista.*

A nova safra de políticos promete. E também não cumpre.

Casseta e Planeta – *Brasileiro (1988-) – Grupo brasileiro de comediantes que também atua e escreve para a TV.*

Cada vez que um político leva um por fora, a gente leva um por dentro.

Casseta e Planeta

O homem político é um animal.

Casseta e Planeta

A política era o último refúgio dos canalhas, agora é o primeiro.

Castelo – *Brasileiro (contemporâneo) – Escritor, humorista, publicitário, ex-integrante do "Língua de Trapo".*

Eu continuo a ser uma coisa só: um palhaço, o que me coloca em nível mais alto do que o de qualquer político.

Charles Chaplin – *Inglês (1889-1977) – Ator e cineasta, criador do personagem Carlitos.*

Já que um político nunca acredita no que ele diz, ele se surpreende quando os outros acreditam nele.

Charles De Gaulle – *Francês (1890-1970) – Estadista, líder militar, presidente da França.*

Política é uma questão muito séria para ser deixada para os políticos.

Charles De Gaulle

A maior contribuição que muitos políticos podem dar ao país é perder as eleições.

Ciro Pellicano – *Brasileiro (contemporâneo) – Publicitário, escritor, autor do livro de frases próprias* A Última Coisa que Pretendo Fazer na Vida é Morrer.

Quando os políticos dizem "nós precisamos apertar o cinto", eles estão falando sério, mas são os eleitores que devem fazê-lo.

Detlev Fleishhammel – *Alemão (1952-) – Teólogo.*

Qual é a diferença entre um senador e uma prostituta? O senador ganha mais dinheiro.

Edward Abbey – *Americano (1927-1989) – Escritor.*

O que este país mais precisa é de políticos desempregados.

Edward Langley – *Americano (1928-1995) – Artista.*

Um desejo egoísta de governar é muitas vezes confundido por um grande zelo na causa da humanidade.

Elbert Hubbard – *Americano (1856-1915) – Escritor, filósofo, editor.*

Queremos mais faxineiras na política. Elas estão acostumadas com negócios sujos.

Erhard Blanck – *Alemão (1942-) – Escritor.*

Político sem mandato é como mulher da vida sem cama.

Flores da Cunha – *Brasileiro (1880-1959) – Político, governador do Rio Grande do Sul (1930-1937).*

Um político divide a humanidade em duas classes: ferramentas e inimigos.

Friedrich Nietzsche – *Alemão (1844-1900) – Filósofo, autor de* Assim Falou Zaratrusta.

Ele não sabe nada e pensa que sabe tudo. Vocação óbvia para uma carreira política.

George Bernard Shaw – *Americano, de origem irlandesa (1856-1950) – Dramaturgo, prêmio Nobel, autor da peça "Pigmaleão".*

Um estadista é um político que se coloca a serviço da nação. Um político é um estadista que coloca a nação a seu serviço.

Georges Pompidou – *Francês (1911-1974) – Estadista, diretor de banco, presidente da França.*

A ânsia de salvar a humanidade é quase sempre um disfarce para a ânsia de governá-la.

H. L. Mencken – *Americano (1880-1956) – Jornalista, editor, colunista, forte espírito crítico e satírico.*

Na política é difícil distinguir os homens capazes dos homens capazes de tudo.

Henri Béraud – *Francês (1885-1958) – Jornalista.*

90% dos políticos dão aos outros 10% uma má reputação.

Henry Kissinger – *Americano (1923-) – Político muito influente.*

Um político pensa na próxima eleição; um estadista, na próxima geração.

James Clarke – *Inglês (1857-1916) – Ativista político.*

Perguntar a um político sobre seus projetos e programas é como perguntar a um garçom de um restaurante se a comida é boa.

Jean Dutourd – *Francês (1920-) – Escritor.*

Todo político em busca da reeleição é um animal perigoso.

Julio María Sanguinetti – *Uruguaio (1936-) – Ex-presidente do Uruguai.*

Aqueles que nos prometem o paraíso na Terra nunca produzirão nada a não ser o inferno.

Karl Popper – *Austríaco (1902-1994) – Filósofo renomado, autor de* A Lógica da Descoberta Científica.

Você pode enganar todas as pessoas algum tempo e algumas pessoas todo o tempo. E isso é suficiente.

Laurence J. Peter – *Canadense (1919-1990) – Escritor, humorista, aforista, autor de* O Princípio de Peter.

O político faz campanha em poesia e governa em prosa.

Mario Cuomo – *Americano (1932-) – Ex-governador do estado de Nova York.*

A razão por que existem tão poucas mulheres políticas é que dá muito trabalho colocar maquiagem em duas caras.

Maureen Murphy – *Americana (1952-) – Política.*

O que os presidentes não fazem com suas esposas acabam fazendo com o seu país.

Mel Brooks – *Americano (1926-) – Cineasta, autor de comédias como "Primavera para Hitler" e "Jovem Frankenstein".*

Político profissional jamais tem medo do escuro. Tem medo é da claridade.

Millôr Fernandes – *Brasileiro (1924-) – Escritor, cronista, humorista, aforista, tradutor, autor do livro de frases próprias* Millôr Definitivo – A Bíblia do Caos.

Quando um político diz que estamos todos no mesmo barco, isto significa o seguinte: ele quer ser o capitão e nós devemos remar.

Nebelspalter – *Jornal suíço.*

Políticos são interessados em pessoas. Não que isso seja uma coisa boa.
Moscas são interessadas em cachorros.

P. J. O'Rourke – *Americano (1947-) – Escritor, humorista.*

Política não é uma má profissão. Se você é bem-sucedido, há muitas recompensas.
Se cai em desgraça, você sempre pode escrever um livro.

Ronald Reagan – *Americano (1911-2004) – Ator, 40º presidente (1981-1989).*

Os políticos não se cansam de chamar de "razão de estado" tudo o que eles fazem sem razão.

Saint-Evremond – *Francês (1614-1703) – Filósofo.*

Os vices são como ciprestes: só crescem à beira dos túmulos.

Sebastião Nery – *Brasileiro (1932-) – Jornalista, político, autor de* Folclore Político.

Ninguém chega impunemente a presidente da República.

Stanislaw Ponte Preta – *Brasileiro (1923-1968) – Cronista, jornalista, humorista, seu nome verdadeiro era Sérgio Porto.*

Políticos não refletem maiorias, eles as constroem.

Stuart Hall – *Inglês, de origem jamaicana (1932-) – Sociólogo, escritor.*

A saliva é o combustível dos políticos e, graças a Deus, não está em falta no mercado.

Ulysses Guimarães – *Brasileiro (1916-1992) – Político de destaque do PDMB, ativo na campanha pelas eleições diretas.*

Quando homens pequenos projetam sombras extensas, é sinal de que o sol está se pondo.

Walter Savage Landor – *Inglês (1775-1864) – Poeta.*

Políticos e placas têm uma coisa em comum: ambos indicam o caminho, mas raramente o seguem.

Willy Meurer – *Alemão (1934-) – Publicitário.*

A vocação de um político de carreira é fazer de cada solução um problema.

Woody Allen – *Americano (1935-) – Cineasta, autor de muitas comédias de sucesso.*

Demagogia

Demagogia é a capacidade de vestir as idéias menores com as palavras maiores.

Abraham Lincoln – *Americano (1809-1865) – 6º presidente (1861-1865), lutou contra a escravidão.*

A demagogia de hoje é a dívida externa de amanhã.

Castelo – *Brasileiro (contemporâneo) – Escritor, humorista, publicitário, ex-integrante do "Língua de Trapo".*

O triunfo dos demagogos é fugaz. Mas as ruínas são eternas.

Charles Péguy – *Francês (1873-1914) – Poeta.*

Corrupção

Corrupção não é como pote de iogurte, que tem prazo de validade.

Comentando as denúncias que recaíram sobre o tucano Eduardo Azevedo de que teria usado recursos irregulares em sua campanha de reeleição ao governo de Minas Gerais, em 1998.

Aloizio Mercadante – *Brasileiro (1954-) – Político do PT, economista, candidato ao governo de São Paulo pelo PT.*

Mais importante que a beleza interior é a riqueza no exterior.

Atribuído apocrifamente a PC Farias.

Anônimo

Corrupto, quando morre, vai para o paraíso fiscal.

Anônimo

Minha criatura mitológica favorita? O político honesto.

Anônimo

Não roube. O governo detesta concorrência.

Anônimo

Todo homem tem seu preço. E tem um monte que está em promoção.

Anônimo

Eu quero menos corrupção ou mais chance de participar dela.

Ashleigh Brilliant – *Americano, de origem inglesa (1933-) – Escritor de livros de frases, cartunista, colunista.*

A corrupção é como uma bola de neve. Quando começa a rolar, tende a crescer.

Charles Caleb Colton – *Inglês (1780-1832) – Reverendo, escritor de aforismos.*

Os cidadãos têm medo do futuro. Os políticos têm medo do passado.

Chico Anísio – *Brasileiro (1931-) – Comediante, artista de TV, criador de dezenas de personagens.*

Em vez de dar a um político as chaves da cidade, seria melhor trocar as fechaduras.

Doug Larson – *Americano (contemporâneo) – Cartunista, escritor.*

Não vale a pena comprar aqueles que se vendem.

François Andrieux – *Francês (1759-1833) – Escritor.*

Quando duas pessoas decidem como gastar o dinheiro de uma terceira pessoa, fraude resultará.

Herman Gross – *Americano, de origem húngara (contemporâneo) – Líder judeu, inventor, empresário.*

Políticos são pessoas que, quando vêem luzes no fim do túnel, vão e compram ainda mais túnel.

John Quinton – *Inglês (contemporâneo) – Político, executivo.*

Os políticos em qualquer parte são os mesmos. Eles prometem construir pontes, mesmo quando não há rios.

Nikita Kruschev – *Russo (1894-1971) – Estadista comunista da antiga URSS.*

Dar dinheiro e poder para o governo é como dar *whisky* e as chaves do carro para adolescentes.

P. J. O'Rourke – *Americano (1947-) – Escritor, humorista.*

Quando compra e venda são reguladas por lei, a primeira coisa a ser comprada e vendida são os legisladores.

P. J. O'Rourke

Dinheiro público é como água benta: todos põem a mão.

Provérbio italiano

Eu creio que política é a segunda profissão mais velha do mundo. Eu acabo de perceber que tem muita semelhança com a primeira.

Ronald Reagan – *Americano (1911-2004) – Ator, 40º presidente (1981-1989).*

Um político honesto é aquele que, quando comprado, permanece comprado.

Simon Cameron – *Americano (1799-1889) – Político.*

O mais escandaloso nos escândalos é que nos habituamos a eles.

Simone de Beauvoir – *Francesa (1908-1986) – Filósofa, romancista, ensaísta.*

Dinheiro não tem cheiro.

Vespasiano – *Romano (9-79 d.C.) – Imperador.*

Corrupção é como crime, não acaba. Controla-se.

Waldir Pires – *Brasileiro (1926-) – Governador da Bahia (1987-1989), ministro da Previdência de Sarney e ministro da Defesa de Lula.*

Maquiavelismo

Propaganda é a arte de persuadir os outros sobre as coisas nas quais você não acredita.

Abba Eban – *Sul-africano (1915-2002) – Diplomata, estadista em Israel.*

Você pode enganar algumas pessoas todo o tempo. Você pode também enganar todas as pessoas algum tempo. Mas você não pode enganar todas as pessoas todo o tempo.

Atribuída.

Abraham Lincoln – *Americano (1809-1865) – 6º presidente (1861-1865), lutou contra a escravidão.*

As grandes massas são mais receptivas ao apelo da retórica do que qualquer outra força.

Adolf Hitler – *Austríaco (1889-1945) – Ditador nazista da Alemanha (1933-1945) ligado ao extermínio de judeus e à deflagração da Segunda Guerra Mundial.*

É sempre mais difícil lutar contra a fé do que contra a inteligência.

Adolf Hitler

Quanto maior a mentira, maior a chance de todos acreditarem nela.

Adolf Hitler

Que sorte para os líderes que os homens não pensem.

Adolf Hitler

A arte de governar os homens é saber enganá-los.

Benjamin Disraeli – *Inglês (1804-1881) – Estadista, primeiro-ministro.*

Há duas alavancas para mover o homem – interesse e medo.

Napoleão Bonaparte – *Francês (1769-1821) – Imperador, militar, envolveu-se em muitas guerras.*

Religião é um excelente meio de manter as pessoas comuns calmas.

Napoleão Bonaparte

Estatísticas

Usam-se estatísticas como um homem bêbado usa um poste, mais para apoiar do que para iluminar.

Andrew Lang – *Escocês (1844-1912) – Escritor.*

43% das estatísticas não servem para nada.

Anônimo

Os números não mentem, mas os mentirosos fabricam números.

Em 1994.

Itamar Franco – *Brasileiro (1930-) – Político, presidente do Brasil (1992-1994).*

As estatísticas provam: as estatísticas erram sempre.

Millôr Fernandes – *Brasileiro (1924-) – Escritor, cronista, humorista, aforista, tradutor, autor do livro de frases próprias* Millôr Definitivo – A Bíblia do Caos.

Estatística: a ciência que diz que se eu comi um frango e tu não comeste nenhum, teremos comido, em média, meio frango cada um.

Pitigrilli – *Italiano (1893-1975) – Escritor.*

Estatísticas demonstram que estatísticas não são confiáveis.

Saul Gorn – *Americano (1912-1992) – Cientista de computação, professor.*

42,7% das estatísticas são inventadas na hora.

Steven Wright – *Americano (1955-) – Comediante, ator, escritor, frasista.*

Uma pesquisa de opinião pública não é nenhum substituto para o raciocínio.

Warren Buffet – *Americano (1930-) – Financista, um dos homens mais ricos do mundo.*

Eleições

Nenhum homem é bom o bastante para governar os outros sem seu consentimento.

Abraham Lincoln – *Americano (1809-1865) – 6º presidente (1861-1865), lutou contra a escravidão.*

A América ainda é uma terra de promessas, especialmente durante uma campanha eleitoral.

Alfred E. Newman – *Americano (contemporâneo) – Personagem da Revista* MAD.

Eleitor: alguém que usufrui o sagrado direito de votar em alguém que foi escolhido por outra pessoa.

Ambrose Bierce – *Americano (1842-1914) – Jornalista, escritor, autor do* Dicionário do Diabo, *contendo aforismos.*

Não são as pessoas que votam que mudam as coisas, mas as que contam os votos.

Atribuído por alguns *sites* na Internet a Joseph Stalin, mas provavelmente apócrifo.

Anônimo

Uma forma de reduzir os impostos é organizar uma eleição a cada ano, pois parece que em ano de eleições jamais se aumentam os impostos.

Anônimo

A eleição direta é uma ponte entre a demagogia e o poder.

Declarado em 1984, durante a campanha das Diretas Já, no final do governo Figueiredo.

Armando Falcão – *Brasileiro (contemporâneo) – Político, ministro da Justiça de Geisel.*

Vote naquele que prometer menos; a decepção será menor.

Bernard Baruch – *Americano (1870-1965) – Político, empresário.*

Do ventre das mulheres, da cabeça do juiz e da boca das urnas, nunca se sabe o que vai sair.

Bias Fortes – *Brasileiro (1891-1971) – Governador de Minas Gerais (1956-1961).*

A eleição direta é mais festiva; a indireta, mais solene.

Eliseu Rezende – *Brasileiro (1929-) – Ministro da Fazenda de Itamar e dos Transportes de Geisel, deputado federal.*

Em ano eleitoral, o ar está cheio de discursos, e vice-versa.

François-Joseph Nolau – *Francês (1804-1883) – Arquiteto.*

Leve todos os tolos para o seu lado e você será eleito para qualquer coisa.

Frank Dane – *Americano (contemporâneo) – Humorista.*

Aos vencedores, as batatas. Aos vencidos, as cascas.

Jarbas Passarinho – *Brasileiro (1920-) – Ex-senador, governador do Pará (1964-1966), ministro em vários governos.*

Se voto mudasse alguma coisa, eles o aboliriam.

Ken Livingstone – *Inglês (1945-) – Político, ensaísta.*

Mentir às pessoas para obter dinheiro é fraude. Mentir para obter votos é política.

L. S. McCandless

Política é a arte de obter votos dos pobres e dinheiro dos ricos, prometendo a cada grupo defendê-lo contra o outro.

Oscar Ameringer – *Americano, de origem alemã (1870-1943) – Político, editor, escritor.*

Nunca se mente tanto quanto antes das eleições, durante as guerras e depois da caça.

Otto von Bismarck – *Alemão (1814-1898) – Estadista, militar.*

O adulto não acredita em Papai Noel. Ele vota.

Pierre Desproges – *Francês (1939-1988) – Humorista.*

Pesquisas são como perfumes, boas para cheirar e perigosas de engolir.

Shimon Peres – *Polonês (1923-) – Político, ex-primeiro-ministro de Israel.*

Eu nunca votei em ninguém. Sempre votei contra.

W. C. Fields – *Americano (1880-1946) – Cineasta, humorista, ator.*

Política tornou-se tão cara que custa muito dinheiro mesmo ser derrotado.

Will Rogers – *Americano (1879-1935) – Humorista, ator.*

Governo

Mais liberdade para o governo significa menos segurança para o resto de nós.

Alan Reynolds – *Americano (contemporâneo) – Economista.*

O estado é como o corpo humano; nem todas as funções que o estado desempenha são nobres.

Anatole France – *Francês (1844-1924) – Escritor, poeta.*

O povo não confia no governo e o governo não confia no povo.

Andrei Sakharov – *Russo (1921-1989) – Físico, prêmio Nobel da Paz.*

Eu amo meu país. É meu governo que eu temo.

Anônimo

Não é a maioria que é silenciosa. O governo que é surdo.

Calderhead Jackson – *Americano (contemporâneo) – Publicitário.*

Governar é abrir estradas e contas na Suíça.

Parodiando o *slogan* "Governar é abrir estradas", de Washington Luís, em 1920, para governador de São Paulo, que depois viria a se tornar presidente.

Casseta e Planeta – *Brasileiro (1988-) – Grupo brasileiro de comediantes que também atua e escreve para a TV.*

Os governos são muito mais estúpidos do que seus povos.

Dwight D. Eisenhower – *Americano (1890-1969) – 34º presidente (1953-1961).*

O estado sem os meios para alguma mudança é um estado sem os meios para sua conservação.

Edmund Burke – *Irlandês (1729-1797) – Escritor, estadista.*

Um bom governo é como uma boa digestão: enquanto funciona quase não o percebemos.

Erskine Caldwell – *Americano (1903-1987) – Escritor.*

Governo: onde todos se esforçam por viver às custas de todos os demais.

Frédéric Bastiat – *Francês (1801-1850) – Economista.*

Quando o governo assume responsabilidade sobre as pessoas, então as pessoas não assumem mais responsabilidade sobre elas mesmas.

George Pataki – *Americano (1945-) – Político.*

O maior déficit de certos governos situa-se entre as orelhas de seus governantes.

George Stigler – *Americano (1911-1991) – Economista, prêmio Nobel.*

Se o governo é grande o suficiente para dar a você tudo o que você quer, ele é grande o suficiente para tirar tudo o que você tem.

Gerald Ford – *Americano (1913-) – 38º presidente americano (1974-1977).*

O governo tem um braço comprido e um braço curto; o comprido serve para tirar e chega a todos os lugares, e o curto serve para dar, mas ele só chega aos mais próximos.

Ignazio Silone – *Italiano (1900-1978) – Escritor.*

A meta de um bom governo é estimular a produção; de um mau governo, estimular o consumo.

Jean-Baptiste Say – *Francês (1767-1832) – Economista.*

O melhor governo é aquele que faz a si mesmo supérfluo.

Johann Goethe – *Alemão (1749-1832) – Poeta, escritor, pensador, autor do livro de frases* Máximas e Reflexões.

Que governo é o melhor? Aquele que nos ensina a governar a nós mesmos.

Johann Goethe

Uma questão que pode ser respondida sem dano ao governo não é uma questão apropriada para se fazer.

John Diefenbaker – *Canadense (1895-1979) – Político, primeiro-ministro.*

O que o governo dá ele deve primeiro tirar.

John S. Coleman – *Americano (?-1958) – Executivo, presidente da antiga Burroughs (atual Unisys).*

Cada país tem o governo que merece.

Joseph Marie de Maistre – *Francês (1753-1821) – Ensaísta, aristocrata, diplomata.*

A oferta de governo supera a demanda.

Lewis H. Lapham – *Americano (1935-) – Escritor, editor de revistas.*

Nenhum governo está isento de fazer besteiras. O problema é quando tais besteiras são levadas a sério.

Michel de Montaigne – *Francês (1533-1592) – Filósofo renascentista, autor de* Ensaios.

O problema não está em qualquer forma de governo, mas na própria existência de governo.

Mikhail Bakunin – *Russo (1814-1876) – Ativista político anarquista, escritor.*

A solução do governo para um problema é usualmente tão ruim quanto o problema.

Milton Friedman – *Americano (1912-) – Economista mais da linha monetarista, prêmio Nobel.*

Se o governo fosse um produto, vendê-lo seria ilegal.

P. J. O'Rourke – *Americano (1947-) – Escritor, humorista.*

Agora tudo parece sob controle do governo federal, exceto a dívida e o orçamento.

Robert H. Goddard – *Americano (1882-1945) – Físico que lançou as bases do vôo espacial.*

O bem que o Estado pode fazer é limitado; o mal, infinito.

Roberto Campos – *Brasileiro (1917-2001) – Economista, político, ferino ensaísta e jornalista.*

O homem pode ser livre à medida que o governo tenha limites; quando cresce o governo, diminui a liberdade.

Ronald Reagan – *Americano (1911-2004) – Ator, 40º presidente (1981-1989).*

Se você inventa uma ratoeira melhor, o governo chega com um rato melhor.

Ronald Reagan

Na ausência de justiça, o que é o poder constituído senão pilhagem organizada?

Santo Agostinho – *Romano, de origem argelina (354-430) – Teólogo, escritor.*

É perigoso estar certo quando o governo está errado.

Voltaire – *Francês (1694-1778) – Filósofo iluminista, escritor, autor de* Cândido.

Eu não faço piadas. Apenas vejo o governo e reporto os fatos.

Will Rogers – *Americano (1879-1935) – Humorista, ator.*

Eu acho que tem alguém tomando conta da gente.
Infelizmente é o governo.

Woody Allen – *Americano (1935-) – Cineasta, autor de muitas comédias de sucesso.*

Legislativo

O Congresso é a casa do povo. Difícil é despejar os atuais inquilinos.

Casseta e Planeta – *Brasileiro (1988-) – Grupo brasileiro de comediantes que também atua e escreve para a TV.*

Conversa é barata, exceto quando o Congresso faz isso.

Cullen Hightower – *Americano (1923-) – Escritor, consultor de vendas.*

Talvez não consigamos imaginar como nossas vidas poderiam ser ainda mais frustrantes e complicadas, mas o Congresso pode.

Cullen Hightower

É verdade que existem vários idiotas no Congresso. Mas os idiotas constituem boa parte da população e merecem estar bem representados.

Hubert Humphrey – *Americano (1911-1978) – Político democrata, vice-presidente.*

Suponha que você seja um idiota e suponha que você é um membro do Congresso. Já estou me repetindo.

Mark Twain – *Americano (1835-1910) – Escritor, ensaísta, humorista.*

Gestão

Pactos de união nacional são os acordos entre as minorias organizadas contra a maioria desorganizada.

Adam Smith – *Escocês (1723-1790) – Economista, autor de* A Riqueza das Nações.

A livre iniciativa é privada. A calamidade é pública.

Anônimo

Em uma empresa privada, os dirigentes administram seu próprio dinheiro. Em uma empresa pública, administram o dinheiro dos outros.

Anônimo

Se os pobres tivessem ao menos metade do dinheiro que se gasta para estudar os seus problemas...

Bill Vaughan – *Americano (1915-1977) – Escritor, jornalista.*

Teoria é quando se sabe tudo e nada funciona. Prática é quando tudo funciona e ninguém sabe por quê. Neste recinto, conjugam-se teoria e prática: nada funciona e ninguém sabe por quê.

Cartaz em uma repartição pública

Negócio de todos não é negócio de ninguém.

Daniel Defoe – *Inglês (1660-1731) – Romancista, jornalista, autor de* Robinson Crusoe.

Crescer pelo gosto de crescer é a ideologia da célula cancerígena.

Edward Abbey – *Americano (1927-1989) – Escritor.*

A centralização leva a apoplexia ao centro e a anemia às extremidades.

Félicité Robert de Lammennais – *Francês (1782-1854) – Escritor.*

Dê o Saara a um tecnocrata e, em cinco anos, o deserto estará importando areia.

Henri Jeanson – *Francês (1900-1970) – Autor de cenários para cinema.*

Capacidade executiva é decidir rapidamente e conseguir alguém mais para fazer o trabalho.

John G. Pollard – *Americano (1871-1937) – Governador, político, advogado.*

Não há nada que um servidor público odeie mais que fazer algo pelo público.

Kin Hubbard – *Americano (1868-1930) – Humorista.*

Há repartições que fazem lembrar os cemitérios: em cada porta, se poderia escrever: "Aqui repousa Fulano de Tal".

Moritz G. Saphir – *Austríaco (1795-1858) – Ensaísta, poeta, cronista, crítico.*

Os funcionários públicos são como os livros de uma biblioteca: os menos úteis é que são colocados mais altos.

Paul Masson – *Americano (1859-1940) – Pioneiro da cultura de vinho na Califórnia.*

A diferença entre a empresa privada e a empresa pública é que aquela é controlada pelo governo, e esta por ninguém.

Roberto Campos – *Brasileiro (1917-2001) – Economista, político, ferino ensaísta e jornalista.*

O governo é uma máquina cara demais pelos parcos serviços que presta.

Roberto Campos

As melhores mentes não estão no governo. Se elas estivessem, a iniciativa privada os contrataria.

Ronald Reagan – *Americano (1911-2004) – Ator, 40º presidente (1981-1989).*

O contribuinte é o único cidadão que trabalha para o governo sem ter de prestar concurso.

Ronald Reagan

Burocracia

Burocracia: um método para transformar energia em lixo.

Anônimo

Jeitinho: um pé-de-cabra para as portas fechadas da burocracia.

Anônimo

Se uma idéia pode sobreviver a uma revisão burocrática e ser implementada, não vale a pena.

Arthur Bloch – *Americano (1948-) – Escritor, sociólogo, responsável pela popularização das chamadas Leis de Murphy ("tudo que pode dar errado dará").*

Burocracia: uma dificuldade para cada solução.

Herbert Samuel – *Inglês (1870-1963) – Estadista, filósofo.*

Burocracia é um mecanismo gigante operado por pigmeus.

Honoré de Balzac – *Francês (1799-1850) – Escritor, autor de* A Mulher de 30 Anos, *que deu origem ao termo "balzaquiana".*

Burocratas são as únicas pessoas no mundo que podem dizer absolutamente nada e ter essa intenção.

Hugh Sidey – *Americano (1927-2005) – Jornalista.*

Quando um burocrata comete um erro e continua a fazê-lo, usualmente torna-se a nova política.

James H. Boren – *Americano (1925-) – Humorista, conferencista, escritor.*

Burocracia é a arte de tornar o possível impossível.

Javier Pascual Salcedo – *Argentino (contemporâneo) – Escritor.*

A tendência da burocracia é achar objetivo em qualquer coisa que se esteja fazendo.

John Kenneth Galbraith – *Canadense (1908-2006) – Economista, escritor, crítico da sociedade americana.*

A burocracia, a regra de ninguém, tornou-se a forma moderna de despotismo.

Mary McCarthy – *Americana (1912-1989) – Escritora, crítica de teatro.*

Em um sistema burocrático, o trabalho inútil conduz o trabalho útil.

Milton Friedman – *Americano (1912-) – Economista mais da linha monetarista, prêmio Nobel.*

Comitê

Comitê: um grupo de homens que leva uma semana para fazer o que um homem sozinho faria em uma hora.

Elbert Hubbard – *Americano (1856-1915) – Escritor, filósofo, editor.*

Um comitê consiste em um grupo de pessoas importantes, que sozinhas não podem fazer nada, mas que juntas decidem que nada pode ser feito.

Fred Allen – *Americano (1894-1956) – Comediante.*

Nada é impossível até ser levado para um comitê.

James H. Boren – *Americano (1925-) – Humorista, conferencista, escritor.*

Um comitê é um beco sem saída, para onde as idéias são atraídas e depois silenciosamente estranguladas.

Robert Katz – *Americano (1933-) – Escritor.*

Educação

É mais fácil construir um menino que consertar um homem.

Anônimo

Quem abre uma escola fecha uma prisão.

Victor Hugo – *Francês (1802-1885) – Escritor, autor de* Os Miseráveis.

Se você quiser civilizar um homem, comece pela avó dele.

Victor Hugo

Educação é a transmissão da civilização.

Will Durant – *Americano (1885-1981) -- Filósofo, historiador, autor do livro, em vários volumes,* História das Civilizações.

Parte 7

Ideologia

Democracia

Todos os males da democracia se podem curar com mais democracia.

Alfred Emanuel Smith – *Americano (1873-1944) – Político.*

Democracia é o governo do povo, pelo povo e para o povo, apesar do povo.

Anônimo

A democracia é bonita na teoria. Na prática, é uma falácia.

Benito Mussolini – *Italiano (1883-1945) – Ditador fascista que apoiou a Alemanha na Segunda Guerra Mundial.*

A diferença entre democracia e ditadura é que na democracia se pode votar antes de obedecer às ordens.

Charles Bukowski – *Ameicano, de origem alemã (1920-1994) – Poeta, escritor, com foco em temas ligados à margem da sociedade.*

O ideal democrático ensina como um povo livre pode tornar-se forte e um povo forte permanecer justo.

François Mauriac – *Francês (1885-1970) – Escritor, dramaturgo, prêmio Nobel.*

A democracia não é estática, mas sim uma marcha permanente.

Franklin Roosevelt – *Americano (1882-1945) – 32º presidente (1933-1945).*

A democracia é um sistema que faz com que nunca tenhamos um governo melhor do que merecemos.

George Bernard Shaw – *Americano, de origem irlandesa (1856-1950) – Dramaturgo, prêmio Nobel, autor da peça "Pigmaleão".*

Democracia: você diz o que quer, mas faz o que lhe é dito.

Gerald Berry – *Inglês (1898-1968) – Escritor.*

A maior conclusão da democracia, seu ritual e sua festa, é a escolha.

H. G. Wells – *Inglês (1866-1944) – Escritor de ficção científica, autor de* 20 Mil Léguas Submarinas.

Democracia é a crença patética na sabedoria coletiva da ignorância individual.

H. L. Mencken – *Americano (1880-1956) – Jornalista, editor, colunista, forte espírito crítico e satírico.*

Numa democracia um partido dedica a maior parte de sua energia tentando provar que o outro partido não está apto a governar. Ambos conseguem prová-lo e estão certos.

H. L. Mencken

Democracia é como nadar. Aprende-se praticando.

Hatem Abdel-Hadi – *Iraquiano (contemporâneo) – Poeta.*

Julgando apenas pelas aparências, poderia até se afirmar que a essência da democracia é o melodrama.

Irving Babbit – *Americano (1865-1933) – Crítico literário.*

Democracia é o abuso da estatística.

Jorge Luis Borges – *Argentino (1899-1986) – Poeta, romancista, contista, prêmio Cervantes.*

Democracia é quando as pessoas são livres para escolher alguém que depois as frustrará.

Laurence J. Peter – *Canadense (1919-1990) – Escritor, humorista, aforista, autor de* O Princípio de Peter.

A democracia começa na hora de votar e termina na hora de contar.

Millôr Fernandes – *Brasileiro (1924-) – Escritor, cronista, humorista, aforista, tradutor, autor do livro de frases próprias* Millôr Definitivo – A Bíblia do Caos.

Democracia com fome, sem educação e saúde para a maioria, é uma concha vazia.

Nelson Mandela – *Sul-africano (1918-) – Político, ex-presidente.*

Democracia: a opressão do povo, pelo povo, para o povo.

Oscar Wilde – *Irlandês (1854-1900) – Poeta e dramaturgo, autor de* O Retrato de Dorian Gray, *frasista.*

A capacidade do homem para o mal faz a democracia necessária, e a capacidade do homem para o bem faz a democracia possível.

Reinhold Niebuhr – *Americano (1892-1971) – Teólogo.*

À exceção de todos os outros sistemas criados, a democracia é o pior deles.

Winston Churchill – *Inglês (1874-1965) – Estadista, primeiro-ministro durante a Segunda Guerra Mundial.*

O melhor argumento contra a democracia é uma conversa de cinco minutos com o eleitor médio.

Winston Churchill

Ditadura

A ditadura é um estado em que todos têm medo de um e um tem medo de todos.

Alberto Moravia – *Italiano (1907-1990) – Romancista, dramaturgo, ensaísta.*

O despotismo perpetua a ignorância e a ignorância perpetua o despotismo.

Anne R. J. Turgot – *Francês (1727-1781) – Economista, ministro de Finanças.*

Ditadura é o sistema de governo no qual o que não está proibido é obrigatório.

Enrique Jardiel Poncela – *Espanhol (1901-1952) – Romancista, escritor de comédias.*

Onde quer que você tenha um governo eficiente, você tem uma ditadura.

Harry Truman – *Americano (1884-1972) – 33º presidente (1945-1953).*

Anarquia

Nós tentamos fundar uma pequena comunidade anarquista, mas as pessoas não obedeciam às regras.

Alan Bennett – *Inglês (1934-) – Ator, diretor, dramaturgo.*

Anarquia é melhor do que nenhum governo.

Anônimo

A pior coisa no mundo, depois da anarquia, é o governo.

Henry Ward Beecher – *Americano (1813-1887) – Clérigo, filósofo.*

Esquerda x Direita

O poder é como o violino. Toma-se com a esquerda e toca-se com a direita.

Esperidião Amin – *Brasileiro (1947-) – Político, governador de Santa Catarina (1983-1987 e 1999-2003).*

O povo não anda nem para a esquerda nem para a direita. Anda para a frente.

Guilherme Afif Domingos – *Brasileiro (1943-) – Empresário, candidato à presidência em 1989, candidato a senador em São Paulo.*

No capitalismo o homem explora o homem. No comunismo é justamente o oposto.

John Kenneth Galbraith – *Canadense (1908-2006) – Economista, escritor, crítico da sociedade americana.*

O capitalismo funciona melhor que aparenta, enquanto o socialismo aparenta melhor do que funciona.

Richard Nixon – *Americano (1913-1994) – 37º presidente (1969-1974), renunciou após o escândalo Watergate.*

A chamada terceira via é incompetência para praticar o capitalismo e a covardia para aplicar o socialismo.

Roberto Campos – *Brasileiro (1917-2001) – Economista, político, ferino ensaísta e jornalista.*

No capitalismo, os resultados são melhores que as intenções. No socialismo, as intenções são melhores que os resultados.

Winston Churchill – *Inglês (1874-1965) – Estadista, primeiro-ministro durante a Segunda Guerra Mundial.*

O vício inerente do capitalismo é a distribuição desigual das benesses; o vício inerente ao socialismo é a distribuição igualitária das misérias.

Winston Churchill

Capitalismo

Capitalismo sem falência é como o cristianismo sem o inferno.

Frank Borman – *Americano (1928-) – Astronauta, executivo de companhia aérea.*

A lei básica do capitalismo é "você ou eu" e não "você e eu".

Karl Liebknecht – *Alemão (1871-1919) – Político socialista e ativista.*

A teologia do capitalismo é o consumo.

Lester Thurow – *Americano (1938-) – Economista, colunista.*

O capitalismo é uma força que avança mas não se sabe para onde.

Lionel Jospin – *Francês (1937-) – Ex-primeiro-ministro da França pelo partido Socialista.*

O pior problema do capitalismo são os capitalistas que abusam do capitalismo.

Malcolm Forbes – *Americano (1919-1990) – Empresário, criador da revista de negócios* Forbes.

Esquerda

O comunismo é a corrupção de um sonho de justiça.

Adlai Stevenson – *Americano (1900-1965) – Político do partido democrata, candidato a presidente.*

Eu sou um marxista, da linha Groucho.

Slogan achado em Paris, 1968, referindo-se ao cineasta e comediante Groucho Marx.

Anônimo

Quando a esquerda começa a contar dinheiro, converte-se em direita.

Carlito Maia – *Brasileiro (1924-2002) – Publicitário, escritor.*

A cadeira elétrica não invalida a eletricidade, assim como o mau uso do socialismo não anula as idéias socialistas.

Carlos Scliar – *Brasileiro (1920-2001) – Artista plástico.*

A esquerda é boa para duas coisas: organizar manifestações de rua e desorganizar a economia.

Humberto Castello Branco – *Brasileiro (1900-1967) – Militar, presidente do Brasil (1964-1967).*

Se o comunismo acabar, quem vai levar a culpa?

Jô Soares – *Brasileiro (1938-) – Humorista, romancista, apresentador de TV do programa "Jô onze e meia".*

Os operários não têm pátria.

Karl Marx – *Alemão (1818-1883) – Principal teórico do Comunismo, autor de* O Capital.

Trabalhadores de todo mundo, uni-vos. Nada tendes a perder senão os grilhões que vos prendem.

Karl Marx

Tudo que eu sei é que eu não sou marxista.

Karl Marx

Primeiro o partido substitui a classe operária. Depois, o comitê central substitui o partido. E, por fim, o ditador substitui o comitê central.

Leon Trotsky – *Russo (1879-1940) – Revolucionário, participante da Revolução Russa de 1917.*

Socialismo só será possível quando todos nós formos perfeitos. Aí ele não será necessário.

Mandell Creighton – *Inglês (1843-1901) – Bispo anglicano, historiador.*

Comunista: um camarada que nada possui e está ansioso para partilhá-lo com os outros.

Mansour Chalita – *Colombiano, radicado no Brasil (1918-) – Escritor prolífico, incluindo* Os Mais Belos Pensamentos de Todos os Tempos *em 5 volumes.*

A propriedade é um roubo.

Pierre-Joseph Proudhon – *Francês (1809-1865) – Jornalista, socialista libertário.*

O comunismo é bom para sair da miséria, mas incompetente para levar à riqueza.

Roberto Campos – *Brasileiro (1917-2001) – Economista, político, ferino ensaísta e jornalista.*

É uma idéia socialista que lucrar é um vício. Eu considero que o vício verdadeiro é fazer prejuízo.

Winston Churchill – *Inglês (1874-1965) – Estadista, primeiro-ministro durante a Segunda Guerra Mundial.*

Conservadores

Um conservador gosta dos males existentes, enquanto o liberal deseja substituí-los por outros.

Ambrose Bierce – *Americano (1842-1914) – Jornalista, escritor, autor do* Dicionário do Diabo, *contendo aforismos.*

Um conservador é um homem covarde demais para lutar e gordo demais para correr.

Elbert Hubbard – *Americano (1856-1915) – Escritor, filósofo, editor.*

Eu não sei o que faz um homem mais conservador: não saber nada que não seja o presente ou nada que não seja o passado.

John Maynard Keynes – *Inglês (1883-1946) – Economista influente, criou a corrente keynesiana.*

Um conservador é aquele que admira os radicais séculos depois que eles morreram.

Leo Rosten – *Americano (1908-1997) – Escritor satírico judeu.*

Os radicais inventam as visões. Quando elas se desgastam, os conservadores as adotam.

Mark Twain – *Americano (1835-1910) – Escritor, ensaísta, humorista.*

Um conservador é um homem que senta e pensa, em geral apenas senta.

Woodrow Wilson – *Americano (1856-1924) – 28º presidente (1913-1920).*

Liberais

Se Deus fosse liberal, nós não teríamos os Dez Mandamentos, teríamos as Dez Sugestões.

Malcolm Bradbury – *Inglês (1932-2000) – Escritor.*

Um liberal é um homem com mente muito aberta para assumir seu próprio lado em uma discussão.

Robert Frost – *Americano (1874-1963) – Poeta.*

Heroísmo

Infeliz do país que precisa de heróis!

Bertolt Brecht – *Alemão (1898-1956) – Poeta, dramaturgo, autor da peça "Mãe Coragem".*

Ideologia

Independente é um cara que quer tirar a política dos políticos.

Adlai Stevenson – *Americano (1900-1965) – Político do partido democrata, candidato a presidente.*

Ideologia, me dá uma pra viver.

Da canção "Ideologia".

Cazuza – *Brasileiro (1958-1990) – Compositor, cantor, foi vocalista da banda* Barão Vermelho.

Um radical é um homem que tem os dois pés firmemente plantados... no ar.

Franklin Roosevelt – *Americano (1882-1945) – 32º presidente (1933-1945).*

Creio na família, na tradição e na propriedade, desde que por tradição a propriedade seja da minha família.

Jô Soares – *Brasileiro (1938-) – Humorista, romancista, apresentador de TV do programa "Jô onze e meia".*

A verdadeira reforma agrária consiste em cultivar os camponeses.

Sofocleto – *Peruano (1926-2004) – Escritor humorista, aforista, jornalista.*

Idealismo

Morrer por um ideal é sem dúvida uma coisa nobre, mas muito mais nobre seria morrer por um objetivo concreto.

H. L. Mencken – *Americano (1880-1956) – Jornalista, editor, colunista, forte espírito crítico e satírico.*

Um idealista é alguém que, ao perceber que uma rosa cheira melhor que um repolho, conclui que ela também dará uma sopa melhor.

H. L. Mencken

O idealismo de uma pessoa cresce na proporção direta da sua distância do problema.

John Galsworthy – *Inglês (1867-1933) – Romancista, dramaturgo, prêmio Nobel.*

Não sou um utópico, sou um idealista prático.

Mahatma Gandhi – *Indiano (1869-1948) – Ativista político, engajou-se pela independência da Índia, tornando-se um símbolo do pacifismo. Seu verdadeiro nome é Mohandas K. Gandhi.*

O homem está pronto para morrer por uma idéia desde que a idéia não esteja bastante clara para ele.

Paul Eldridge – *Americano (1888-1982) – Escritor, poeta.*

Idealismo é bom, mas quando a realidade se aproxima, seu custo se torna proibitivo.

William F. Buckley – *Americano (1925-) – Jornalista, ensaísta, apresentador de programa de TV.*

Idéias

Não é triste mudar de idéia; triste é não ter idéias para mudar.

Barão de Itararé – *Brasileiro (1895-1971) – Humorista, jornalista, cujo verdadeiro nome é Apparício Torelly.*

Você pode matar um homem, mas não pode matar uma idéia.

Medgar Evers – *Americano (1925-1963) – Ativista de direitos civis.*

É uma coisa terrível para um intelectual quando ele encara uma idéia como uma realidade.

Robertson Davies – *Canadense (1913-1995) – Romancista, ensaísta.*

Numa guerra de idéias são as pessoas que morrem.

Stanislaw Lec – *Polonês (1909-1966) – Escritor, sobrevivente do holocausto nazista.*

Pode-se resistir à invasão de exércitos, não à invasão de idéias.

Victor Hugo – *Francês (1802-1885) – Escritor, autor de* Os Miseráveis.

Mudança

Você pode colocar asas em um porco, mas não pode fazer dele uma águia.

Bill Clinton – *Americano (1946-) – 42º presidente (1993-2001).*

Pessoas são muito abertas para coisas novas, desde que elas sejam exatamente como as coisas antigas.

Charles Kettering – *Americano (1876-1958) – Engenheiro, inventor, fundador da GM.*

Nem tudo o que se enfrenta pode ser modificado, mas nada pode ser modificado até que seja enfrentado.

Helena Besserman Viana – *Brasileira (1931-2002) – Psicanalista, escritora, ativista de direitos humanos, mãe de Bussunda, do Casseta & Planeta.*

As principais ameaças nessa vida são as pessoas que querem mudar tudo.... ou nada.

Lady Astor – *Americana (1879-1964) – Política, ativista de direitos civis, foi do parlamento inglês.*

Um reformista, na prática, considera intocáveis as bases daquilo que pretende reformar.

Leon Trotsky – *Russo (1879-1940) – Revolucionário, participante da Revolução Russa de 1917.*

Os abusos, como os dentes, nunca se arrancam sem dores.

Marquês de Maricá – *Brasileiro (1773-1848) – Escritor satírico, seu nome é Mariano Fonseca, autor de* Máximas, Pensamentos e Reflexões.

Unanimidade

Você acha unanimidade total somente em um cemitério.

Abel Aganbegyan – *Russo (1932-) – Economista.*

Se cinqüenta milhões de pessoas dizem uma grande besteira, continua sendo uma grande besteira.

Anatole France – *Francês (1844-1924) – Escritor, poeta.*

Na unanimidade há uma parcela de entusiasmo, outra de conveniência e uma última de desinformação.

Carlos Drummond de Andrade – *Brasileiro (1902-1987) – Grande poeta modernista, cronista.*

Toda unanimidade é burra.

Nelson Rodrigues – *Brasileiro (1912-1980) – Dramaturgo, escritor, cronista, jornalista.*

A unanimidade é a opinião daquele que manda.

Sofocleto – *Peruano (1926-2004) – Escritor humorista, aforista, jornalista.*

Maioria

A verdade não é determinada pelo voto da maioria.

Bento XVI – *Alemão (1927-) – Papa que sucedeu João Paulo II, cujo nome é Joseph Ratzinger.*

Algumas vezes uma maioria simplesmente significa que todos os tolos estão do mesmo lado.

Claude C. McDonald – *Americano (1925-) – Escritor.*

Verdade

Apenas porque você ouviu uma coisa que te chateia tantas vezes não significa que não seja verdade.

Don Marquis – *Americano (1878-1937) – Humorista, jornalista, poeta.*

Antes uma verdade cruel do que uma ilusão confortável.

Edward Abbey – *Americano (1927-1989) – Escritor.*

A dúvida é a escola da verdade.

Francis Bacon – *Inglês (1561-1626) – Filósofo, escritor, precursor do raciocínio dedutivo.*

A verdade é filha do tempo, não da autoridade.

Francis Bacon

Não há fatos eternos, assim como não há verdades absolutas.

Friedrich Nietzsche – *Alemão (1844-1900) – Filósofo, autor de* Assim Falou Zaratrusta.

Todas as verdades aceitas começaram como blasfêmias.

George Bernard Shaw – *Americano, de origem irlandesa (1856-1950) – Dramaturgo, prêmio Nobel, autor da peça "Pigmaleão".*

Desconfiem da verdade – ela é verdadeira para todo mundo.

Jean Giono – *Francês (1895-1970) – Escritor.*

A verdade nunca prejudica uma causa que é justa.

Mahatma Gandhi – *Indiano (1869-1948) – Ativista político, engajou-se pela independência da Índia, tornando-se um símbolo do pacifismo. Seu verdadeiro nome é Mohandas K. Gandhi.*

Todas as minhas experiências me provaram que não existe outro Deus que não seja a verdade.

Mahatma Gandhi

A verdade nos leva a todos os lugares, até mesmo para a prisão.

Provérbio polonês

Só o erro precisa de apoio do governo. A verdade pode se sustentar sozinha.

Thomas Jefferson – *Americano (1743-1826) – 3º presidente (1801-1809).*

Um homem pode ocasionalmente tropeçar na verdade, mas, na maior parte das vezes, ele se recupera e vai em frente.

Winston Churchill – *Inglês (1874-1965) – Estadista, primeiro-ministro durante a Segunda Guerra Mundial.*

Verdade x Mentira

A repetição não transforma em verdade uma mentira.

Franklin Roosevelt – *Americano (1882-1945) – 32º presidente (1933-1945).*

As mais perigosas inverdades são verdades levemente distorcidas.

Georg Cristoph Lichtenberg – *Alemão (1742-1799) – Físico, escritor, filósofo.*

A mentira dá uma viagem em torno do mundo enquanto a verdade está calçando os sapatos.

Mark Twain – *Americano (1835-1910) – Escritor, ensaísta, humorista.*

Realismo

As coisas são mais como são agora do que jamais foram antes.

Dwight D. Eisenhower – *Americano (1890-1969) – 34º presidente (1953-1961).*

Na luta entre você e o mundo, aposte no mundo.

Franz Kafka – *Austríaco (1882-1924) – Escritor, poeta, autor de romances instigantes e angustiantes como* Metamorfose, Processo.

O pessimista se queixa do vento, o otimista espera que ele mude e o realista ajusta as velas.

William George Ward – *Inglês (1812-1882) – Teólogo.*

Realidade

Fatos não deixam de existir porque são ignorados.

Aldous Huxley – *Inglês (1894-1963) – Romancista, ensaísta, autor de* Admirável Mundo Novo.

Fatos são coisas teimosas.

Tobias Smollett – *Escocês (1721-1771) – Romancista, cirurgião.*

Ponto de vista

Se você está vendo um gigante, olhe para a posição do sol e examine se o gigante não é a sombra de um pigmeu.

Friedrich Novalis – *Alemão (1772-1801) – Poeta, aforista.*

Nós todos vivemos sob o mesmo céu, mas não temos todos o mesmo horizonte.

Konrad Adenauer – *Alemão (1876-1976) – Político, chanceler alemão.*

A exceção só é odiosa para os outros.

Machado de Assis – *Brasileiro (1839-1908) – Escritor, cronista, presidente da ABL.*

Quem usa sapato sabe onde ele o aperta.

Plutarco – *Grego (45-125) – Biógrafo, filósofo.*

Relatividade

Em terra de cego quem tem um olho é rei.

Desiderius Erasmus – *Holandês (1466-1536) – Humanista cristão, ensaísta, filósofo.*

O que as vitórias têm de mau é que não são definitivas. O que as derrotas têm de bom é que também não são definitivas.

José Saramago – *Português (1922-) – Romancista, ensaísta, prêmio Nobel.*

Aparências

O que parece bom demais para ser verdade usualmente é.

Anônimo

O mundo julga pelas aparências e quase sempre se engana.

João XXIII – *Italiano (1881-1963) – Papa (1958-1963), convocou o Concílio Vaticano II.*

Preconceitos

Época triste a nossa. É mais fácil quebrar um átomo do que um preconceito!

Albert Einstein – *Alemão (1879-1955) – Um dos físicos mais famosos de todos os tempos, autor da Teoria da Relatividade, prêmio Nobel.*

Preconceitos são as correntes forjadas pela ignorância para manter os homens separados.

Condessa de Blessington – *Inglesa (1789-1849) – Escritora.*

Expulsai os preconceitos pela porta e eles tornarão a entrar pela janela.

Frederico, o Grande – *Prussiano (1712-1786) – Imperador.*

Os preconceitos têm mais raízes do que os princípios.

Nicolau Maquiavel – *Italiano (1469-1527) – Político, filósofo, autor do ensaio político* O Príncipe.

Preconceitos são o bom senso dos pouco inteligentes.

Voltaire – *Francês (1694-1778) – Filósofo iluminista, escritor, autor de* Cândido.

Opiniões

Opinião pública é o que as pessoas acreditam que as outras pessoas pensam.

Alfred Austin – *Inglês (1835-1913) – Poeta.*

Quanto menos fatos, mais forte a opinião.

Arnold Glasow – *Americano (1949-) – Humorista, popular frasista na Internet.*

Má é uma opinião que não pode ser mudada.

Aulo Gélio – *Romano (130-175) – Crítico, gramático.*

Quantas cabeças tantas sentenças.

Terêncio – *Romano (190-159 a.C.) – Dramaturgo, autor de diversas comédias.*

Crenças

Eu jamais morreria por uma crença porque eu poderia estar errado.

Bertrand Russell – *Galês (1872-1970) – Filósofo, matemático, autor de* A Conquista da Felicidade *e* O Elogio ao Ócio, *entre muitos outros.*

Convicções são inimigos mais perigosos da verdade do que mentiras.

Friedrich Nietzsche – *Alemão (1844-1900) – Filósofo, autor de* Assim Falou Zaratrusta.

Uma crença não é verdadeira porque ela é útil.

Henri Amiel – *Suíço (1821-1881) – Escritor, jornalista, crítico.*

Morrer por uma causa não faz com que essa causa seja justa.

Henry de Montherlant – *Francês (1895-1972) – Escritor, dramaturgo.*

Ceticismo

Não se pode ser niilista meio expediente.

Albert Camus – *Francês, de origem argelina (1913-1960) – Escritor, ativista, filósofo existencialista, prêmio Nobel.*

Nunca acredite em nada até ser oficialmente negado.

Claude Cockburn – *Inglês (1904-1980) – Jornalista.*

Parte 8

Guerra & Paz

Patriotismo

Fronteira: em geografia política é uma linha imaginária entre duas nações, separando os direitos imaginários de uma dos direitos imaginários da outra.

Ambrose Bierce – *Americano (1842-1914) – Jornalista, escritor, autor do* Dicionário do Diabo, *contendo aforismos.*

O Amor por princípio, e a Ordem por base; e o Progresso por fim.

Inspiração para o lema de nossa bandeira: Ordem e Progresso.

Augusto Comte – *Francês (1798-1857) – Filósofo positivista, sociólogo.*

Patriotismo é a disposição de matar e morrer por razões triviais.

Bertrand Russell – *Galês (1872-1970) – Filósofo, matemático, autor de* A Conquista da Felicidade *e* O Elogio ao Ócio, *entre muitos outros.*

Um patriota deve estar sempre preparado para defender o país contra o seu governo.

Edward Abbey – *Americano (1927-1989) – Escritor.*

A medida da grandeza de uma pátria não é a geografia; é a história.

Ernesto Bertarelli – *Italiano (1965-) – Empresário de biotecnologia com a empresa Serono, velejador.*

Amo a humanidade mais que a meu país.

François Fénelon – *Francês (1651-1715) – Escritor, teólogo.*

Patriotismo é a sua convicção de que seu país é superior aos outros porque você nasceu nele.

George Bernard Shaw – *Americano, de origem irlandesa (1856-1950) – Dramaturgo, prêmio Nobel, autor da peça "Pigmaleão".*

Patriotismo é a limitação indigna de sua alma por fronteiras geográficas.

George Santayana – *Americano, de origem espanhola (1863-1952) – Filósofo, romancista, poeta.*

Toda vez que você ouve um homem falar do amor por seu país, é um sinal de que ele espera ser pago por isso.

H. L. Mencken – *Americano (1880-1956) – Jornalista, editor, colunista, forte espírito crítico e satírico.*

Quem morre pelo seu país vive eternamente.

Monteiro Lobato – *Brasileiro (1882-1948) – Escritor, atuando principalmente em literatura infantil, criador do* Sítio do Picapau Amarelo.

O amor pelo seu país é algo esplêndido. Mas por que o amor tem que terminar na fronteira?

Pablo Casals – *Espanhol (1876-1973) – Celista, compositor.*

A primeira pátria quando se está no mundo é a vida.

Paul Leautaud – *Francês (1872-1956) – Escritor.*

Quem morre pela pátria já viveu muito.

Pola – *Italiano (1ª metade do século XIX) – Libretista italiano.*

Patriotismo é o último refúgio dos canalhas.

Samuel Johnson – *Inglês (1708-1784) – Crítico, poeta, lexicólogo.*

Ninguém ama sua pátria porque ela é grande, mas porque é sua.

Sêneca – *Romano (4 a.C.-65 d.C.) – Filósofo, escritor, político, autor de* Cartas Morais.

Totalitarismo é patriotismo institucionalizado.

Steve Allen – *Americano (1921-2000) – Apresentador de TV, comediante.*

Ninguém pode ser patriota de barriga vazia.

W. C. Brann – *Americano (1855-1898) – Jornalista.*

Nação: uma sociedade unida por seus ancestrais e pelo ódio comum de seus vizinhos.

William Inge – *Americano (1913-1973) – Escritor.*

Guerra

Glória militar: um arco-íris atraente que irrompe em chuvas de sangue.

Abraham Lincoln – *Americano (1809-1865) – 6º presidente (1861-1865), lutou contra a escravidão.*

Eu não sei como vai ser a terceira guerra mundial; mas a quarta vai ser a paus e pedras.

Albert Einstein – *Alemão (1879-1955) – Um dos físicos mais famosos de todos os tempos, autor da Teoria da Relatividade, prêmio Nobel.*

Nunca houve uma guerra boa e uma paz ruim.

Benjamin Franklin – *Americano (1706-1790) – Cientista, político, inventor, escritor, aforista, criador do primeiro pára-raios.*

A guerra não é mais que a continuação das relações políticas por outros meios.

Carl von Clausewitz – *Prussiano (1780-1831) – Teórico militar.*

Admitir que há guerras justas é o mesmo que admitir a existência de injustiças justas.

Carlos Drummond de Andrade – *Brasileiro (1902-1987) – Grande poeta modernista, cronista.*

Toda guerra é ganha pelos generais e perdida pelos soldados.

Carlos Drummond de Andrade

As melhores guerras são as evitadas.

Carlos Gershenson – *Mexicano (1978-) – Doutorando em computação.*

Um império fundado pelas armas precisa sustentar-se pelas armas.

Charles de Montesquieu – *Francês (1689-1755) – Filósofo iluminista, autor de* Espírito das Leis.

Na paz os filhos enterram seus pais, na guerra os pais enterram seus filhos.

Francis Bacon – *Inglês (1561-1626) – Filósofo, escritor, precursor do raciocínio dedutivo.*

Tragédias genuínas no mundo não são conflitos entre o certo e o errado. São conflitos entre dois certos.

Friedrich Hegel – *Alemão (1770-1831) – Filósofo, autor de* Fenomenologia do Espírito.

A vitória tem mil pais, mas a derrota é órfã.

Galeazzo Ciano – *Italiano (1903-1944) – Ministro das Relações Exteriores na Itália durante o governo de Mussolini.*

A maneira mais rápida de se terminar uma guerra é perdê-la.

George Orwell – *Inglês (1903-1950) – Escritor, autor de* 1984, *que prenunciava um futuro sombrio.*

O objetivo da guerra não é morrer por seu país, é fazer com que outros bastardos morram por ele.

George Patton – *Americano (1885-1945) – General que lutou na Segunda Guerra.*

Os velhos declaram a guerra, mas são os jovens que devem lutar e morrer.

Herbert Hoover – *Americano (1874-1964) – 31º presidente americano (1929-1933).*

A humanidade deve colocar um fim na guerra ou a guerra colocará um fim na humanidade.

John Kennedy – *Americano (1917-1963) – 35º presidente (1961-1963); seu assassinato permanece um mistério.*

O oposto de convivência pacífica é não-existência belicosa.

Jonathan Lynn – *Inglês (1943-) – Escritor de sátira de TV.*

Um soldado é um escravo de uniforme.

Juan Donoso Cortês – *Espanhol (1809-1853) – Filósofo, político.*

Pólvora é uma substância negra muito empregada na demarcação de limites entre as nações.

Max Nunes – *Brasileiro (1922-) – Redator de humor, colaborador do programa "Jô onze e meia".*

Ou a guerra é obsoleta ou os homens o são.

Richard Fuller – *Americano (1895-1983) – Arquiteto, inventor, poeta, filósofo, empresário.*

Na guerra o único heroísmo é sobreviver.

Samuel Fuller – *Americano (1911-1997) – Cineasta.*

Junte-se ao exército. Viaje para lugares exóticos. Encontre pessoas diferentes e as mate.

***Slogan* pacifista dos anos 1960**

Se há um Deus, a expressão que deve enojá-lo é: guerra sagrada.

Steve Allen – *Americano (1921-2000) – Apresentador de TV, comediante.*

Guerra é apenas uma fuga covarde dos problemas da paz.

Thomas Mann – *Alemão (1875-1955) – Escritor, prêmio Nobel, autor de* Dr. Fausto.

Não haverá veteranos da Terceira Guerra Mundial.

Walter Mondale – *Americano (1928-) – Ex-vice-presidente.*

Não podemos dizer que a civilização não avança: em cada guerra, matam-nos de maneira nova.

Will Rogers – *Americano (1879-1935) – Humorista, ator.*

Militarismo

Inteligência militar é uma contradição em termos.

Groucho Marx – *Americano (1895-1977) – Comediante, ator, líder do grupo Irmãos Marx, realizou muitos filmes.*

Justiça militar é para a justiça o que a música militar é para a música.

Groucho Marx

Revolução

Revolução significa amar uma humanidade que ainda não existe.

Albert Camus – *Francês, de origem argelina (1913-1960) – Escritor, ativista, filósofo existencialista, prêmio Nobel.*

Revolução é uma idéia que encontrou armas.

Adaptada de uma frase de Napoleão: "Revolução é uma opinião que encontrou baionetas".

Anônimo

Façamos a revolução, antes que o povo a faça.

Antonio Carlos de Andrada – *Brasileiro (séc. XX) – Governador de Minas Gerais (1926-1930).*

Os poderosos podem matar uma, duas ou até três rosas, mas jamais poderão deter a primavera.

Che Guevara – *Argentino (1928-1967) – Revolucionário, ajudou Fidel Castro em Cuba.*

Se avançar, sigam-me; se parar, me empurrem; e se recuar, me matem.

Che Guevara

O revolucionário bem-sucedido é um estadista, o malsucedido é um criminoso.

Erich Fromm – *Alemão (1900-1980) – Psicanalista, sociólogo.*

Todas as revoluções se evaporam, deixando para trás apenas a lama de uma nova burocracia.

Franz Kafka – *Austríaco (1882-1924) – Escritor, poeta, autor de romances instigantes e angustiantes como* Metamorfose, Processo.

As revoluções nunca aliviaram o fardo da tirania: apenas o passaram para outros ombros.

George Bernard Shaw – *Americano, de origem irlandesa (1856-1950) – Dramaturgo, prêmio Nobel, autor da peça "Pigmaleão".*

A verdadeira revolução acontece quando mudam os papéis e não apenas os autores.

Gibert Cesbron – *Francês (1913-1979) – Escritor.*

O mais radical revolucionário se tornará conservador no dia seguinte à revolução.

Hanna Arendt – *Alemã (1906-1975) – Socióloga.*

Aqueles que fazem da revolução pacífica algo impossível farão com que uma revolução violenta seja inevitável.

John Kennedy – *Americano (1917-1963) – 35º presidente (1961-1963); seu assassinato permanece um mistério.*

Em um estado revolucionário, há duas classes: os suspeitos e os patriotas.

Napoleão Bonaparte – *Francês (1769-1821) – Imperador, militar, envolveu-se em muitas guerras.*

O entusiasmo inicia as revoluções, o delírio as acompanha e o arrependimento as segue.

Nicolas Chamfort – *Francês (1741-1794) – Escritor, dramaturgo, jornalista.*

A mais triste ilusão dos revolucionários socialistas é que a revolução por si mesma transformará a natureza dos seres humanos.

Shirley Williams – *Inglesa (1930-) – Política.*

Revoluções não são feitas, elas acontecem.

Wendell Phillips – *Americano (1811-1884) – Abolicionista, defensor dos índios.*

Paz

Não existe um caminho para a paz. A paz é o caminho.

A. J. Muste – *Americano, de origem holandesa (1885-1967) – Editor, ativista político, pacifista.*

Tão necessário como o pão de cada dia é a paz de cada dia, sem a qual o mesmo pão é amargo.

Amado Nervo – *Mexicano (1870-1919) – Poeta.*

Paz: um período de artimanhas entre dois períodos de luta.

Ambrose Bierce – *Americano (1842-1914) – Jornalista, escritor, autor do* Dicionário do Diabo, *contendo aforismos.*

Seja como o sândalo, que perfuma o machado que o corta.

Buda – *Indiano (563-483 a.C.) – Líder religioso que originou o Budismo, religião filosófica do Oriente.*

Nós iremos obter a paz nem que tenhamos que lutar para isso.

Dwight D. Eisenhower – *Americano (1890-1969) – 34º presidente (1953-1961).*

A verdadeira paz não é a ausência de tensões – é a presença de justiça.

Martin Luther King – *Americano (1929-1968) – Líder negro que lutou pela igualdade, prêmio Nobel da paz.*

A paz, se possível, mas a verdade a qualquer preço.

Martinho Lutero – *Alemão (1483-1546) – Fundador da Igreja Luterana, dissidência da Igreja Católica.*

A paz eterna dura apenas até a próxima guerra.

Provérbio russo

Eu mataria por um prêmio Nobel da Paz.

Steven Wright – *Americano (1955-) – Comediante, ator, escritor, frasista.*

A paz não tem fronteiras.

Yitzhak Rabin – *Israelense (1922-1995) – Estadista, prêmio Nobel da Paz.*

Diplomacia

Diplomacia: o ato patriótico de mentir pelo seu país.

Ambrose Bierce – *Americano (1842-1914) – Jornalista, escritor, autor do* Dicionário do Diabo, *contendo aforismos.*

Um diplomata é um sujeito que pensa duas vezes antes de não dizer nada.

Anônimo

Um embaixador é um homem honesto que é mandado para mentir no estrangeiro pelo seu país.

Henry Wotton – *Inglês (1568-1639) – Escritor, diplomata.*

Um diplomata é um homem que sempre lembra o aniversário da mulher, mas nunca lembra de sua idade.

Robert Frost – *Americano (1874-1963) – Poeta.*

Parte 9

O Brasil e o mundo

Políticos brasileiros

Lula é o meu pastor, por isso estou pastando.

No governo Lula (2004).

Adesivo de carro

FHC atualmente não está nem ao centro, nem à direita, nem à esquerda. Está em declínio.

Em 1999.

Alain Touraine – *Francês (1925-) – Sociólogo.*

Tire o emprego de FHC antes que ele tire o seu.

Adesivo em carros no Rio de Janeiro (1998).

Anônimo

Rouba mas faz.

Bordão informal que ficou popular na campanha de Adhemar de Barros para o governo de São Paulo (1954).

Anônimo

Oceano Atlântico: obra de Maluf.

Inscrição em um muro, com uma flecha apontando para o mar.

Anônimo

Nunca pensei que fosse achar engraçado um garotinho passando fome.

Por causa da greve de fome do ex-governador Anthony Garotinho (2006).

Anônimo

A única forma de tirar gás da Paulipetro seria passar uma sonda no sr. Paulo Maluf.

Sobre a fracassada tentativa de Maluf de encontrar petróleo e gás em São Paulo, por meio da criação da companhia Paulipetro.

Antonio Ermírio de Moraes – *Brasileiro (1928-) – Empresário do grupo Votorantim.*

A prefeita não perde nem batizado de boneca.

Sobre a presença da prefeita paulistana, Marta Suplicy, nas festas da cidade (2002).

Cacá Rosset – *Brasileiro (1954-) – Ator, diretor teatral.*

Itamar Franco pode parecer tolo, pode falar como um tolo, agir como tolo, mas é bom que todos saibam: ele é um tolo.

Cacá Rosset

Se o presidente continuar com cara de paisagem, o país vai continuar essa natureza-morta.

Durante o governo Lula (2005).

Castelo – *Brasileiro (contemporâneo) – Escritor, humorista, publicitário, ex-integrante do Língua de Trapo.*

O presidente abandona petismo e adota autismo.

Referindo-se ao governo Lula.

Castelo

Pelo jeito, a greve de fome do Garotinho vai acabar em *pizza*.

Sobre a greve de fome que Garotinho manteve por 11 dias, alegando perseguição (2006).

Castelo

Garotinho é um político menor.

Castelo

Lula, o presidente que falava demais e sabia de menos.

Castelo

Um petista é um tucano que roubou um pouco mais.

Castelo

O Lula pode beber o quanto quiser. Afinal, ele não dirige nada mesmo.

Chico Caruso – *Brasileiro (1954-) – Cartunista, artista plástico.*

Infelizmente teremos de escolher entre o candidato da língua presa e o candidato de língua solta.

Referindo-se à opção entre Lula e Ciro.

Ciro Botelho – *Brasileiro (contemporâneo) – Humorista.*

Lula não é católico, ele é caótico.

Sobre os palpites do presidente na eleição do novo papa (2005).

Dom Eusébio Scheid – *Brasileiro (1932-) – Cardeal, atual arcebispo do Rio de Janeiro.*

Acho que o governo Lula precisa começar.

Entrevistada pela *Folha de S. Paulo* (2004).

Fernanda Montenegro – *Brasileira (1929-) – Atriz de renome internacional.*

Picolé de Chuchu.

Apelido criado para Geraldo Alckmin, que colou.

José Simão – *Brasileiro (1943-) – Humorista, cronista.*

Certos políticos são tão chatos que não têm porta-voz, têm porta-malas.

Luís Pimentel – *Brasileiro (contemporâneo) – Jornalista, escritor, editor do Caderno B do* JB.

ACM é candidato. Maluf é candidato. Collor é candidato. Enfim, a democracia chegou a Alcatraz.

Em 2001 (Alcatraz é uma prisão californiana famosa).

Millôr Fernandes – *Brasileiro (1924-) – Escritor, cronista, humorista, aforista, tradutor, autor do livro de frases próprias* Millôr Definitivo – A Bíblia do Caos.

Quero pedir aos excelentíssimos senadores que não extrapolem os limites de sua área invadindo a nossa.

Protesto bem-humorado no Senado.

Palhaço Xuxu – *Brasileiro (1954-) – Ator, diretor de teatro.*

Não sei para onde o Brasil vai depois do Collor, só sei que vai de Fusca.

Em 1993.

Thomas Skidmore – *Americano (1932-) – Historiador brasilianista.*

Fernando Henrique deixou o socialismo para ganhar uma eleição, para ser presidente, para viajar, para ficar bonitinho e conhecer a rainha da Inglaterra.

Em 1998.

Thomas Skidmore

Bons tempos aqueles em que os piores erros de Lula eram os de português.

Tutty Vasques – *Brasileiro (1953-) – Jornalista humorístico, colunista e editor do* site *NoMínimo. Seu nome verdadeiro é Alfredo Ribeiro de Barros.*

Política brasileira

O Brasil tem os burocratas mais religiosos do mundo. Nunca assinam um contrato, sem antes pedir um terço.

Anônimo

No Brasil, a vida pública é, muitas vezes, a continuação da privada.

Barão de Itararé – *Brasileiro (1895-1971) – Humorista, jornalista, cujo verdadeiro nome é Apparício Torelly.*

O mal do governo não é a falta de persistência, mas a persistência na falta.

Barão de Itararé

Todo pacto social, no Brasil, pressupõe um pato. E é sempre o trabalhador.

Em 1984.

Delfim Netto – *Brasileiro (1928-) – Economista, deputado, ministro de vários governos militares.*

O Brasil tem três ministros para um assunto, contrariamente a Portugal, que tem um só ministro para três assuntos.

Comentando as diferenças de estilo entre os governos dos dois países.

Diário de Notícias – *Jornal português.*

O Brasil é governado por quatro poderes: executivo, legislativo, judiciário e aquisitivo.

Eugênio Mohallem – *Brasileiro (contemporâneo) – Publicitário.*

Creio que os nossos líderes políticos ainda voltarão a fazer desse país o que ele já foi: um imenso deserto de gelo do período glacial.

Jô Soares – *Brasileiro (1938-) – Humorista, romancista, apresentador de TV do programa "Jô onze e meia".*

A questão não é que o PT não enxerga a solução, é que o PT não vê o problema.

Joelmir Betting – *Brasileiro (1936-) – Jornalista econômico (jornal e TV).*

Não reclama, não. O governo não te faria de idiota se você não fosse boa matéria-prima.

Millôr Fernandes – *Brasileiro (1924-) – Escritor, cronista, humorista, aforista, tradutor, autor do livro de frases próprias* Millôr Definitivo – A Bíblia do Caos.

História brasileira

Independência ou Morte.

Declaração da Independência do Brasil em 1822, possivelmente dita em um cenário bem menos glorioso do que o costumeiramente retratado (Fonte: *Insultos Impressos*, de Isabel Lustosa).

Dom Pedro I – *Português (1798-1834) – 1º Imperador do Brasil.*

Sigam-me os que forem brasileiros.

No final da Guerra do Paraguai, aos seus comandados.

Duque de Caxias – *Brasileiro (1803-1880) – Militar, conhecido pela sua atuação na Guerra do Paraguai.*

Voltarei nos braços do povo.

Antes do seu segundo mandato, para o qual foi eleito pelo voto direto.

Getúlio Vargas – *Brasileiro (1883-1954) – Presidente entre 1930-1945 e 1951-1954.*

Saio da vida para entrar na História.

Consta da carta-testamento do seu suicídio (1954).

Getúlio Vargas

Daqui só saio morto.

Resposta, diante da pressão dos militares para que ele renunciasse, dois dias antes do seu suicídio (1954).

Getúlio Vargas

Se é para o bem de todos e felicidade geral da Nação... diga ao povo que fico.

Frase famosa que marca o chamado "Dia do Fico" em 9/1/1822. Essa frase não chegou a ser dita, mas criada depois para divulgação na imprensa (Fonte: *Insultos Impressos*, de Isabel Lustosa).

José Clemente Pereira – *Brasileiro (1787-1854) – Senador, juiz de fora.*

Brasil

No Brasil, 15% da população não tem o que reclamar; os outros 85% não têm a quem reclamar.

Anônimo

O Brasil é feito por nós. Só falta desatar os nós.

Barão de Itararé – *Brasileiro (1895-1971) – Humorista, jornalista, cujo verdadeiro nome é Apparício Torelly.*

Acordem e Progresso.

Carlito Maia – *Brasileiro (1924-2002) – Publicitário, escritor.*

O Brasil não é um país sério.

Atribuída a Charles De Gaulle, na verdade foi dita pelo então embaixador, em função da chamada "Guerra da Lagosta", ligada à pesca francesa em águas brasileiras (1962).

Carlos Alves de Souza – *Brasileiro (séc. XX) – Embaixador.*

As leis no Brasil foram feitas para serem compridas.

Casseta e Planeta – *Brasileiro (1988-) – Grupo brasileiro de comediantes que também atua e escreve para a TV.*

Se o Brasil mudou, não deixou endereço.

Casseta e Planeta

A pobreza caiu no Brasil. Mas bem que podia ter sido em outro lugar.

Castelo – *Brasileiro (contemporâneo) – Escritor, humorista, publicitário, ex-integrante do Língua de Trapo.*

A situação está mais feia do que o Enéas sem barba.

Castelo

A única coisa progressiva que ainda resta no Brasil é a escova.

Castelo

No Brasil a justiça é surda, o governo é cego e o povo é mudo.

Castelo

O brasileiro só tem três problemas: café, almoço e jantar.

Chico Anísio – *Brasileiro (1931-) – Comediante, artista de TV, criador de dezenas de personagens.*

O Brasil é uma nação de espertos que, reunidos, formam uma multidão de idiotas.

Gilberto Dimenstein – *Brasileiro (contemporâneo) – Jornalista, colunista da* Folha de S. Paulo.

O Brasil é um país com os pés no chão. E as mãos também.

Ivan Lessa – *Brasileiro (1935-) – Jornalista, escritor, participou do* Pasquim, *atualmente radicado em Londres.*

O Brasil não é o país das oportunidades. E sim, dos oportunistas.

Jacaré Banguela – *Blog brasileiro.*

O Brasil não tem bolsões de pobreza, tem bolsões de riqueza.

Joel Silveira – *Brasileiro (1918-) – Jornalista, escritor, colunista.*

O Tiradentes devia ser o padroeiro do Brasil; tá todo mundo com a corda no pescoço.

José Simão – *Brasileiro (1943-) – Humorista, cronista.*

Não existem patriotas em filas do INPS.

Luis Fernando Verissimo – *Brasileiro (1936-) – Escritor, redator de TV, cronista, humorista.*

No Brasil, o fundo do poço é apenas uma etapa.

Luis Fernando Verissimo

E graças a Deus que o Brasil tem saído de situações difíceis. Mas, graças ao Diabo, é que se mete em outras.

Em 1987.

Mário Quintana – *Brasileiro (1906-1994) – Poeta, cronista, com visão humanista, autor de* Antologia Poética.

Brasil, condenado à esperança.

Millôr Fernandes – *Brasileiro (1924-) – Escritor, cronista, humorista, aforista, tradutor, autor do livro de frases próprias* Millôr Definitivo – A Bíblia do Caos.

Brasil, país do futuro. Sempre.

Millôr Fernandes

O Brasil já está à beira do abismo. Mas ainda vai ser preciso um grande esforço de todo mundo pra colocarmos ele novamente lá em cima.

Millôr Fernandes

No Brasil as coisas acontecem, mas depois, com um simples desmentido, deixaram de acontecer.

Stanislaw Ponte Preta – *Brasileiro (1923-1968) – Cronista, jornalista, humorista, seu nome verdadeiro era Sérgio Porto.*

Esse é um país onde as prostitutas gozam, os traficantes cheiram e em que um carro usado vale mais que um carro novo.

Houve uma época em que alguns carros usados valiam mais que o novo, por questões especulativas (+/– 1986).

Tom Jobim – *Brasileiro (1927-1993) – Compositor e cantor, um dos expoentes da bossa nova.*

O Brasil e a economia

O Brasil não tem um Ministério do Trabalho. O Brasil tem um Ministério do Capital.

Em 1979.

Alceu Collares – *Brasileiro (1927-) – Político, governador do Rio Grande do Sul (1991-1994).*

A economia brasileira desmoraliza qualquer economista.

Suspendendo a campanha contra a inflação preparada desde janeiro (1999).

Eduardo Eugenio Gouvêa Vieira – *Brasileiro (contemporâneo) – Presidente da Firjan, empresário.*

Acho que nós, brasileiros, ainda não entendemos que a política externa é interna.

Explicando que o que acontece lá fora repercute aqui dentro (2001).

Fernando Henrique Cardoso – *Brasileiro (1931-) – Sociólogo, escritor, político, presidente do Brasil (1994-1998 e 1998-2002).*

O Brasil virou o país dos negócios da China, porque nem a China quer mais esses negócios.

Sobre o capital estrangeiro no Brasil.

Leonel Brizola – *Brasileiro (1922-2004) – Político, governador do Rio de Janeiro (1983-1987 e 1991-1994) e do Rio Grande do Sul (1959-1963).*

As multinacionais querem comer a economia nacional como mingau quente, pelas bordas.

Leonel Brizola

Ou o Brasil acaba com o déficit público ou o déficit público acaba com o país.

Mário Amato – *Brasileiro (1918-) – Empresário, ex-presidente da FIESP.*

O Brasil precisa urgente explorar suas riquezas – porque a pobreza não agüenta mais ser explorada.

Max Nunes – *Brasileiro (1922-) – Redator de humor, colaborador do programa "Jô onze e meia".*

Subdesenvolvimento não se improvisa. É obra de séculos.

Nelson Rodrigues – *Brasileiro (1912-1980) – Dramaturgo, escritor, cronista, jornalista.*

Estatização no Brasil é como mamilo de homem: não é útil nem ornamental.

Roberto Campos – *Brasileiro (1917-2001) – Economista, político, ferino ensaísta e jornalista.*

Brasil e corrupção

O Brasil ainda não caiu no fundo do poço porque roubaram o poço.

Agildo Ribeiro – *Brasileiro (1932-) – Humorista, ator.*

O Brasil tem saída. Ainda não roubaram o Galeão.

Anônimo

O Brasil não é diferente na criminalidade e sim na impunidade.

Antonio Carlos Biscaia – *Brasileiro (1942-) – Procurador, político do PT.*

O Brasil é um país onde a esperteza passou a ser chamada de competência.

Antonio Ermírio de Moraes – *Brasileiro (1928-) – Empresário do grupo Votorantim.*

Brasil? Fraude explica.

Carlito Maia – *Brasileiro (1924-2002) – Publicitário, escritor.*

Havia um tempo em que se dizia "rouba mas faz". Hoje se diz "rouba, mas é dos nossos".

Cristovam Buarque – *Brasileiro (1944-) – Senador do PDT, candidato a presidente em 2006, governador do Distrito Federal (1995-1999), ex-ministro da Educação de Lula.*

No Brasil, a direita rouba com a mão direita, a esquerda rouba com a mão esquerda e o centro rouba com as duas.

Jorge Ramos – *Brasileiro (1958-) – Carnavalesco.*

Brasil: esse estranho país de corruptos sem corruptores.

Luis Fernando Verissimo – *Brasileiro (1936-) – Escritor, redator de TV, cronista, humorista.*

Em Brasília, quem não é da panelinha é da marmita.

Max Nunes – *Brasileiro (1922-) – Redator de humor, colaborador do programa "Jô onze e meia".*

O que leva o Brasil à falência não é o fato de muitos roubarem pouco. É o fato de poucos roubarem muito.

Max Nunes

A honestidade é inviável no Brasil.

Em 2004.

Osíris Lopes Filho – *Brasileiro (contemporâneo) – Advogado, professor, ex-secretário da Receita Federal.*

Política não existe sem mãos sujas. Não dá para fazer sem botar a mão na merda.

Aliado do PT do meio artístico, referindo-se às denúncias contra o PT em 2005 (2006).

Paulo Betti – *Brasileiro (1952-) – Ator.*

A democracia neste país é relativa, mas a corrupção é absoluta.

Paulo Brossard – *Brasileiro (1924-) – Político, jurista, ex-ministro da Justiça de Sarney.*

Ou restaure-se a moralidade ou locupletemo-nos todos!

Stanislaw Ponte Preta – *Brasileiro (1923-1968) – Cronista, jornalista, humorista; seu nome verdadeiro era Sérgio Porto.*

Caixa dois todo partido tem... Não estou preocupado com ética do PT, ou com qualquer tipo de ética. Para mim isso não interessa. Eu acho que o PT fez um jogo que tem que fazer para governar o país.

Artista aliado do PT, referindo-se às denúncias de uso de caixa dois pelo PT em 2005 (2006).

Wagner Tiso – *Brasileiro (1945-) – Compositor, maestro, arranjador.*

Atualidades brasileiras

Eu quero votar para presidente.

Lema da campanha Diretas Já em 1984.

Anônimo

O Banco Central só põe tranca em porta arrombada.

Anônimo

Nesse município não existem crianças. Todos já nascem eleitores.

Sobre a caça de eleitores fantasmas no Rio (1996).

Antonio Carlos Amorim – *Brasileiro (contemporâneo) – Ex-presidente do TRE-RJ.*

O governo quer criar a Previdência do além. O aposentado só desfrutaria do benefício de sua contribuição depois de morto.

Na época do FHC.

Beto Mansur – *Brasileiro (1952-) – Político, ex-prefeito de Santos.*

Pode acontecer tudo, inclusive nada.

Comentando o processo de afastamento do prefeito paulistano Celso Pitta (2000).

Boris Casoy – *Brasileiro (1941-) – Jornalista, apresentador de noticiário.*

É preciso passar o país a limpo.

Frase que ficou famosa ao ser dita, principalmente, durante o desenrolar do julgamento do impeachment de Collor.

Boris Casoy

Existe a fissão nuclear, a fusão nuclear, e o Brasil saiu-se com a terceira via para o átomo, a ficção nuclear.

Sobre o programa nuclear brasileiro (1987).

Borisas Cimbleris – *Lituano-brasileiro (1923-2000) – Cientista nuclear, professor universitário.*

O governo quer culpar a janela pela existência da paisagem.

Em 1980.

Borjalo Lopes – *Brasileiro (1925-) – Jornalista, ex-diretor da* TV Globo *em 1980.*

Aquilo está parecendo um motel de alta rotatividade.

No governo Sarney, referindo-se ao Banco Central.

Carlos Brandão – *Brasileiro (contemporâneo) – Escritor, professor, educador.*

Essa história do gás boliviano ainda vai feder muito.

Castelo – *Brasileiro (contemporâneo) – Escritor, humorista, publicitário, ex-integrante do Língua de Trapo.*

Em outras campanhas eleitorais, o tema freqüente dos candidatos era "O que eu fiz". Agora, é "Eu juro que eu não fiz".

Cláudio Humberto – *Brasileiro (contemporâneo) – Jornalista, colunista, porta-voz do governo Collor.*

Se um brasileiro entra na farmácia latindo, ele tem isenção. Se entra tossindo, paga mais caro.

Criticando as isenções fiscais para medicamentos veterinários (2002).

Darcísio Perondi – *Brasileiro (1947-) – Deputado federal do PMDB.*

O PT gosta muito de reunião. Eu entrava com oito dúvidas e saía com nove. Depois comecei a entender o estilo.

Enquanto publicitário do PT (2002).

Duda Mendonça – *Brasileiro (1944-) – Publicitário, associado a muitas campanhas políticas.*

Não estamos diante da queda do risco Brasil, mas livres do risco PT.

Para quem o mercado apenas voltou ao normal, depois de ter-se assustado com o PT na época das eleições de 2002.

Eduardo Gomes – *Brasileiro (1966-) – Deputado federal.*

Meu patrão é o Brasil.

Justificando a denúncia de Collor, seu patrão (1992).

Eriberto Batista – *Brasileiro – Ex-motorista do Palácio do Planalto, peça-chave na denúncia de corrupção no governo Collor.*

A Nova República vai ser processada pela Velha, por plágio.

Na época de Sarney, período apelidado de Nova República.

Fausto Silva – *Brasileiro (1950-) – Apresentador de televisão da Globo das tardes de domingo.*

Comparado com os estrangeiros, os automóveis brasileiros parecem carroças.

Em 1990.

Fernando Collor de Mello – *Brasileiro (1949-) – Político, empresário, presidente do Brasil (1990-1992), cargo do qual foi afastado por* impeachment.

Eu espero que o PSDB não faça com o PT o que o PT fez comigo. Mal terminava a eleição, eles diziam: Fora FHC!

Após a eleição de Lula, referindo-se à oposição do PT nos oito anos de governo (2002).

Fernando Henrique Cardoso – *Brasileiro (1931-) – Sociólogo, escritor, político, presidente do Brasil (1994-1998 e 1998-2002).*

Além de falta d'água para beber e atenção básica ao povo, o que falta é vergonha na cara de seus dirigentes.

Criticando as elites políticas nordestinas em um discurso em Alagoas (1998).

Fernando Henrique Cardoso

Hoje Serra é o mais preparado para governar o Brasil.

O PSDB, que escolheu o candidato Geraldo Alckmin, censurou essa declaração no seu *site* (2006).

Fernando Henrique Cardoso

Quem correr muito vai quebrar o joelho.

Sobre a precipitada corrida pela sucessão presidencial (1999) para as eleições de 2002.

Fernando Henrique Cardoso

Já não é o Brasil que administra a sua dívida externa, mas sim a dívida externa que está administrando o Brasil.

Em 1981.

Franco Montoro – *Brasileiro (1916-1999) – Político, governador de São Paulo (1983-1987).*

A direita brasileira não conseguiu em décadas o que um pequeno núcleo de dirigentes petistas conseguiu em poucos anos: desmoralizar a esquerda.

No governo Lula (2005).

Frei Betto – *Brasileiro (1944-) – Frade, teólogo progressista, escritor, ex-assessor de Lula.*

O problema do Brasil é que o país é governado por dois vices.

Referindo-se ao governo Sarney, vice de Tancredo, que não chegou a assumir (1987).

Frei Betto

O PMDB assumiu o governo, mas o governo não assumiu o PMDB.

Contrário à entrada do partido no ministério de Lula.

Geddel Vieira Lima – *Brasileiro (1959-) – Deputado federal (PMDB).*

O cachorro abana o rabo, mas o rabo dificilmente vai abanar o cachorro.

Ao prever que a crise argentina não afetaria a economia brasileira, do jeito que a nossa crise afetou a deles (2000).

Ilan Goldfajn – *Brasileiro de origem isralense (1966-) – Economista, professor, empresário, ex-diretor do Banco Central.*

O que me assusta no plano é que todos os economistas o adoram.

Sobre o Plano Collor, que confiscou temporariamente a poupança, para combater a inflação (1990).

Jô Soares – *Brasileiro (1938-) – Humorista, romancista, apresentador de TV do programa "Jô onze e meia".*

Virou uma granja: tucano joga galinha em perua.

Relativo ao episódio em que um estudante atirou uma galinha preta na então prefeita de São Paulo, Marta Suplicy.

José Simão – *Brasileiro (1943-) – Humorista, cronista.*

O Brasil deve ter cuidado para que o espetáculo do crescimento não seja um vôo de galinha.

No início do governo Lula (2003).

Julio Sergio Gomes de Almeida – *Brasileiro (contemporâneo) – Economista, professor universitário.*

Nunca coloquei a Igreja debaixo do braço para me eleger.

Referindo-se à eleição de Garotinho para governador no Rio de Janeiro.

Leonel Brizola – *Brasileiro (1922-2004) – Político, governador do Rio de Janeiro (1983-1987 e 1991-1994) e do Rio Grande do Sul (1959-1963).*

Todo apoio será bem-vindo. Não vou pedir atestado ideológico.

Em 1998.

Luiz Inácio Lula da Silva – *Brasileiro (1945-) – Político, fundador do PT, atual presidente do Brasil, desde 2003.*

A reeleição virou guerra. E na guerra a primeira vítima é a verdade.

Na época da reeleição de FHC (1998).

Maurício Dias – *Brasileiro (contemporâneo) – Jornalista político.*

Com a doação automática de órgãos, o governo agora leva tudo dos contribuintes. Vivos ou mortos.

Maurício Dias

Queda definitiva, só de avião.

Condenando o "já ganhou" com a queda de Ciro Gomes nas pesquisas para a eleição presidencial (2002).

Nizan Guanaes – *Brasileiro (1958-) – Publicitário, executivo, empresário.*

Chega de intermediários. Lincoln Gordon para presidente.

Durante o governo Castelo Branco no regime militar, parodiando a influência do embaixador americano na época.

Otto Lara Resende – *Brasileiro (1922-1992) – Contista, cronista, jornalista, membro da ABL.*

A privatização foi um sucesso do ponto de vista do serviço. Fui um futurólogo de segunda categoria.

De um ferrenho crítico da privatização conduzida por FHC (2004).

Pedro Jaime Ziller – *Brasileiro (contemporâneo) – Ex-presidente da ANATEL (Agência Nacional de Telecomunicações).*

Se todos os recursos usados nas políticas sociais do Brasil fossem jogados de um helicóptero, os pobres teriam mais chances de recebê-los do que da maneira como são aplicados hoje.

Em 2000.

Ricardo Paes de Barros – *Brasileiro (contemporâneo) – Economista, pesquisador do IPEA (Instituto de Pesquisa Aplicada).*

Dos meus comunistas cuido eu.

Quando o general e ministro da Justiça o pressionou para demitir os comunistas de *O Globo*, durante o regime militar (1973).

Roberto Marinho – *Brasileiro (1904-2003) – Empresário, jornalista, dono de um império de comunicação, incluindo jornais, revistas e a* TV Globo.

A situação brasileira não está ruim. Para ficar ruim tem ainda que melhorar muito.

Rogério Ekberg – *Brasileiro (contemporâneo)*

Chegou a vez dos com-terra.

A respeito da mobilização dos grandes fazendeiros contra o MST (1997).

Roosevelt Roque dos Santos – *Brasileiro (contemporâneo) – Ex-presidente da UDR.*

Antigamente o sujeito era político e virava bandido. Hoje é o contrário.

Sérgio Leite – *Brasileiro (contemporâneo) – Político do PT.*

É a primeira vez que o FMI vem ao Brasil e embarca de volta sem ter tido a necessidade de puxar a orelha de ninguém.

Depois da visita ao Brasil (1998).

Stanley Fischer – *Americano, de origem zambiana (1943-) – Economista, professor, ex-dirigente do FMI, executivo de banco.*

Eu só preciso de mais um dia. Depois disso podem operar-me.

Um dia antes de sua posse, que nunca aconteceu (1986).

Tancredo Neves – *Brasileiro (1910-1985) – Político, eleito indiretamente presidente, faleceu antes de assumir.*

No abacaxi da CPI, os bananas perguntam, os laranjas respondem e, no final, um mamão lava o outro.

Tutty Vasques – *Brasileiro (1953-) – Jornalista humorístico, colunista e editor do* site *NoMínimo. Seu nome verdadeiro é Alfredo Ribeiro de Barros.*

Respeitem o líder da oposição!

Na Bahia, quando a Polícia de Choque avançou com cães. Os soldados recuaram (1978).

Ulysses Guimarães – *Brasileiro (1916-1992) – Político de destaque do PDMB, ativo na campanha pelas eleições diretas.*

Eu como eleições diretas, bebo eleições diretas, durmo eleições diretas. Ainda bem que eleição é uma palavra feminina.

Ulysses Guimarães

Acho que o PT vai aprender muito no governo. Na oposição ele impediu muitos progressos.

Em entrevista ao jornal O Globo (2004).

Zilda Arns – *Brasileira (1934-) – Pediatra, sanitarista, fundadora da Pastoral da Criança.*

História geral

O rei reina mas não governa.

Referindo-se às monarquias constitucionais, nas quais o rei assumia mais um papel simbólico.

Adolphe Thiers – *Francês (1797-1877) – Historiador, político.*

O mundo inteiro está mudando. Em breve existirão apenas 5 reis: O rei da Inglaterra, o rei de espadas, o rei de paus, o rei de corações e o rei de ouros.

O filho dele foi a última carta do baralho no Egito, porque a monarquia lá acabou em 1953 (1948).

Farouk – *Egípcio (1920-1965) – Rei.*

O estado sou eu.

Provavelmente a atribuição da frase a ele é um mito.

Luis XIV – *Francês (1643-1715) – "Rei Sol" da França, sob monarquia Absolutista.*

Terceiro Mundo

País subdesenvolvido é aquele que importa, como última novidade, o obsoleto.

Jaime Lerner – *Brasileiro (1937-) – Político, arquiteto, governador do Paraná (1995-2002).*

No mundo subdesenvolvido, não beba água; no mundo desenvolvido não respire o ar.

Jonathan Raban – *Inglês (1942-) – Escritor.*

Não existem países subdesenvolvidos. Existem países subadministrados.

Peter Drucker – *Americano, de origem austríaca (1909-2005) – Escritor e consultor de Negócios de renome mundial.*

O que tem sido a esquerda do Terceiro Mundo senão a distribuição efetiva da pobreza, pela incompetência na criação de riquezas?

Roberto Campos – *Brasileiro (1917-2001) – Economista, político, ferino ensaísta e jornalista.*

Há 400 anos os países subdesenvolvidos têm um grande futuro.

Sofocleto – *Peruano (1926-2004) – Escritor humorista, aforista, jornalista.*

Política internacional

Que todos se vão.

"Que se vayan todos": *slogan* popular repetido em vários países da América Latina, como Argentina (2002) e Equador (2005), simbolizando um protesto contra a classe política.

Anônimo

Em todo o território do Afeganistão nenhuma organização ou indivíduo pode utilizar a Internet.

Comunicado do Talibã (2001).

Anônimo

Três mulheres não podem estar erradas.

Slogan usado durante a campanha eleitoral por adversários do recém-eleito chanceler da Alemanha, Gerhard Schroeder, divorciado três vezes (1998).

Anônimo

Que tipo de país oferece mais resistência à Disney do que aos Nazis?

Sobre a França, que foi ocupada facilmente pelos Nazistas, na Segunda Guerra Mundial.

Conan O'Brien – *Americano (1963-) – Apresentador de televisão.*

Eu não sei por que as pessoas se surpreendem com o fato de que a França não vai nos ajudar a tirar o Saddam do Iraque. Afinal, a França não nos ajudou a tirar os alemães da França.

Jay Leno – *Americano (1950-) – Comediante de televisão.*

Foi Deus quem venceu no Leste Europeu.

Sobre a onda que acabou com o comunismo na região (1990).

João Paulo II – *Polonês (1920-2005) – Papa.*

Hugo Chávez ganhou com o voto dos pobres, depois de tê-los aumentado. O populismo gosta tanto dos pobres que os multiplica.

Em 2004.

Mario Grondona – *Argentino (contemporâneo) – Colunista do jornal argentino* La Nación.

Por que nós deveríamos acreditar em vocês mais do que vocês acreditam em nós?

A Ronald Reagan, durante reunião de cúpula da URSS com os Estados Unidos (1985).

Mikhail Gorbatchov – *Russo (1931-) – Último dirigente da antiga URSS, que comandou o processo de abertura do regime comunista.*

Mudei junto com o país e, por outro lado, eu mudei esse país.

Em 1990.

Mikhail Gorbatchov

Não queremos simplesmente que os cachorros saiam. Queremos que os cachorros que estão segurando os cachorros também saiam.

Expressando revolta diante de uma revista feita por soldados americanos acompanhados de cães farejadores (2003).

Nazir Mohammed – *Iraquiano (contemporâneo) – Funcionário do Ministério do Petróleo.*

Não há como sofrer uma derrota militar no Iraque. Também não há como obter uma vitória militar no Iraque.

Em 2004.

Richard Myers – *Americano (1942-) – General aposentado, ex-assessor militar de Bush (2001-2005).*

Grandes nações sempre atuam como gângsteres, e as pequenas, como prostitutas.

Stanley Kubrick – *Americano (1928-1999) – Roteirista e diretor de filmes como "2001, uma Odisséia no Espaço" e "Laranja Mecânica".*

Estados Unidos

Podem chamar o sistema norte-americano de americanismo, de capitalismo, do que quer que seja. A verdade é que ele proporciona grandes oportunidades a todos.

Al Capone – *Americano (1899-1947) – Gângster, preso por sonegação fiscal.*

Salve o nosso planeta. Mande Bush de volta ao dele.

De adesivo distribuído pelo Greenpeace na Cúpula Mundial sobre o Desenvolvimento Sustentável.

Anônimo

A prova viva contra a teoria do "Design Inteligente"

Frase que está em adesivo, com uma figura de Bush "simiesca", ironizando a sua defesa do ensino criacionista (teoria religiosa sobre a evolução, modernizada através do "Design Inteligente") nas escolas.

Anônimo

Não há nada errado com a América que não pode ser curado pelo que está certo com a América.

Bill Clinton – *Americano (1946-) – 42º presidente (1993-2001).*

Os americanos entraram no Iraque como um elefante em uma loja de louças.

Carlos Fuentes – *Mexicano (1928-) – Escritor, professor, ex-embaixador, prêmio Cervantes.*

Quando eu era um garoto, me disseram que qualquer um poderia se tornar presidente; eu estou começando a acreditar nisso.

Clarence Darrow – *Americano (1857-1938) – Advogado.*

A boa notícia é que a guerra do Vietnã acabou. A má notícia é que perdemos.

Em 1975.

David M. Kennedy – *Americano (contemporâneo) – Historiador, escritor, prêmio Pulitzer.*

O 100% americano é 99% idiota.

George Bernard Shaw – *Americano, de origem irlandesa (1856-1950) – Dramaturgo, prêmio Nobel, autor da peça "Pigmaleão".*

Nos Estados Unidos, qualquer um pode se tornar presidente. Esse é o problema.

George Carlin – *Americano (1937-) – Comediante, ator.*

A América é a maior das oportunidades e a pior das influências.

George Santayana – *Americano, de origem espanhola (1863-1952) – Filósofo, romancista, poeta.*

O Congresso votou por leis mais duras nas corporações. Agora quando uma corporação compra um senador, eles precisam de um recibo.

Jay Leno – *Americano (1950-) – Comediante de televisão.*

Os republicanos estão no partido das más idéias. Os democratas estão no partido sem idéias.

Lewis Black – *Americano (1948-) – Comediante, dramaturgo.*

A América é o único país que foi da barbárie à decadência sem a civilização no meio.

Oscar Wilde – *Irlandês (1854-1900) – Poeta e dramaturgo, autor de* O Retrato de Dorian Gray, *frasista.*

O mundo é dos americanos. O submundo é que está muito concorrido.

Rogério Ekberg – *Brasileiro (contemporâneo).*

Reagan foi provavelmente o primeiro presidente moderno a tratar o cargo como trabalho de meio expediente, um modo de ocupar parte do tempo livre da aposentadoria.

Simon Hoggart – *Inglês (1946-) – Jornalista.*

Os Estados Unidos só são campeões da democracia, da justiça e da liberdade... nos filmes de Hollywood.

Spike Lee – *Americano (1957-) – Cineasta de temáticas políticas e sociais, diretor de "Faça a Coisa Certa".*

Parte 10

O que rola na política

Fanatismo

Nada é mais perigoso que uma idéia quando se tem apenas uma.

Alain – *Francês (1868-1951) – Filósofo, poeta; seu verdadeiro nome é Émile-Auguste Chartier.*

Morte a todos os fanáticos!

Anônimo

Fanático é um homem que faz o que pensa que Deus faria se Ele conhecesse os fatos.

Finley Peter Dunne – *Americano (1867-1936) – Jornalista, humorista.*

O fanatismo consiste em redobrar o próprio esforço quando nos esquecemos do objetivo.

George Santayana – *Americano, de origem espanhola (1863-1952) – Filósofo, romancista, poeta.*

A palavra "ortodoxia" não apenas não significa mais estar certo, ela praticamente significa estar errado.

Gilbert Keith Chesterton – *Inglês (1874-1936) – Romancista, poeta, autor de* Autobiografia, *ensaísta católico nos últimos anos.*

A mente de um fanático é como a pupila do olho: quanto mais luz incidir nela, mais ela contrairá.

Oliver Wendell Holmes – *Americano (1809-1894) – Escritor, médico.*

Fanático é o sujeito que não muda de idéia e não pode mudar de assunto.

Winston Churchill – *Inglês (1874-1965) – Estadista, primeiro-ministro durante a Segunda Guerra Mundial.*

"Morrer por uma idéia" soa bem, mas não lhe parece melhor deixar a idéia morrer em vez de você?

Wyndham Lewis – *Inglês, de origem canadense (1882-1957) – Escritor, pintor.*

Autoritarismo

Poder de um lado e medo do outro formam a base da autoridade irracional.

Erich Fromm – *Alemão (1900-1980) – Psicanalista, sociólogo.*

Aqueles que eliminam os olhos das pessoas as reprovam pela sua cegueira.

John Milton – *Inglês (1608-1674) – Poeta.*

Democracia é quando eu mando em você; ditadura é quando você manda em mim.

Millôr Fernandes – *Brasileiro (1924-) – Escritor, cronista, humorista, aforista, tradutor, autor do livro de frases próprias* Millôr Definitivo – A Bíblia do Caos.

Poder

Se quiser pôr à prova o caráter de um homem, dê-lhe poder.

Abraham Lincoln – *Americano (1809-1865) – 6º presidente (1861-1865), lutou contra a escravidão.*

Todo poder emana do povo e em seu nome é exercido.

Frase presente em várias constituições brasileiras, inclusive a atual.

Anônimo

Os meus inimigos estão no poder.

Cazuza – *Brasileiro (1958-1990) – Compositor, cantor, foi vocalista da banda Barão Vermelho.*

Diga não aos poderosos, mas tome cuidado para não ser ouvido.

Ciro Pellicano – *Brasileiro (contemporâneo) – Publicitário, escritor, autor do livro de frases próprias* A Última Coisa que Pretendo Fazer na Vida é Morrer.

O poder só sobe à cabeça quando encontra o local vazio.

Ciro Pellicano

O poder desgasta sobretudo quem não o tem.

Felipe Gonzalez – *Espanhol (1942-) – Político socialista, ex-primeiro-ministro.*

O poder é o afrodisíaco mais forte que existe.

Henry Kissinger – *Americano (1923-) – Político muito influente.*

Medo e esperança são os dois grandes instrumentos para o controle do homem.

Jean-Jacques Rousseau – *Francês (1712-1778) – Filósofo iluminista, autor de* Contrato Social.

Se o poder não serve para exercer a compaixão, não serve para nada.

Jimmy Carter – *Americano (1924-) – 39º presidente (1977-1981), prêmio Nobel da Paz.*

O poder tende a corromper e o poder absoluto corrompe de forma absoluta.

Lord Acton – *Inglês (1834-1902) – Historiador.*

Numa coisa os partidos políticos estão de acordo: todos querem o poder.

Manfred Hinrich – *Alemão (1926-) – Filósofo.*

Estar no poder é como ser uma dama. Se tiver que lembrar às pessoas que você é, você não é.

Margaret Thatcher – *Inglesa (1925-) – Estadista, primeira-ministra (1979-1990).*

Mesmo no mais alto trono do mundo, estamos ainda sentados sobre o nosso rabo.

Michel de Montaigne – *Francês (1533-1592) – Filósofo renascentista, autor de* Ensaios.

Poder é o camaleão ao contrário: todos tomam sua cor.

Millôr Fernandes – *Brasileiro (1924-) – Escritor, cronista, humorista, aforista, tradutor, autor do livro de frases próprias* Millôr Definitivo – A Bíblia do Caos.

Dominação

Ninguém é mais escravo do que aquele que se acha livre sem sê-lo.

Johann Goethe – *Alemão (1749-1832) – Poeta, escritor, pensador, autor do livro de frases* Máximas e Reflexões.

A mais potente arma do opressor é a mente do oprimido.

Steve Biko – *Sul-africano (1946-1977) – Ativista político assassinado pela polícia.*

Repressão

Você pode engaiolar o passarinho, mas não pode fazê-lo cantar.

Da canção "Cage The Songbird", cantada por Elton John.

Bernie Taupin – *Inglês (1950-) – Letrista, que escreveu os principais* hits *de Elton John.*

Você pode prender o cantor, mas não a canção.

Harry Belafonte – *Americano, de origem jamaicana (1927-) – Cantor, ator, ativista, produtor.*

Onde livros são queimados, cedo ou tarde, homens serão queimados.

Heinrich Heine – *Alemão (1797-1856) – Escritor, poeta.*

Você não converte um homem porque o silenciou.

John Morley – *Inglês (1838-1923) – Jornalista, editor, político, biógrafo.*

Força

Os fracos têm uma arma: os erros daqueles que pensam que são fortes.

Georges Bidault – *Francês (1899-1983) – Político.*

Se o lobo compreendesse os cordeiros, morreria de fome.

Henri Michaux – *Francês, de origem belga (1899-1984) – Poeta, pintor.*

Ser contra a força é como ser contra a lei da gravidade.

Leon Trotsky – *Russo (1879-1940) – Revolucionário, participante da Revolução Russa de 1917.*

Neutro é quem já se decidiu pelo mais forte.

Max Weber – *Alemão (1864-1920) – Sociólogo, economista.*

Um ciclone pode arrasar uma cidade, mas não pode nem mesmo abrir uma carta.

Paul Valéry – *Francês (1871-1945) – Escritor filosófico e poeta.*

Quando dois elefantes brigam, quem sofre é a grama.

Provérbio africano

Caia a faca no melão ou o melão na faca, o melão sofre...

Provérbio chinês

Retórica

Um diplomata é alguém que pode dizer "Vá para o inferno" de tal modo que você fica ansioso para fazer a viagem.

Anônimo

O que falta para o orador em profundidade ele te devolve em duração.

Charles de Montesquieu – *Francês (1689-1755) – Filósofo iluminista, autor de* Espírito das Leis.

O segredo do demagogo é se fazer passar por tão estúpido quanto sua platéia para que esta imagine ser tão esperta quanto ele.

Karl Kraus – *Austríaco (1874-1936) – Jornalista, dramaturgo.*

Esclarecimento: termo político que quer dizer ocultamento.

Manfred Hinrich – *Alemão (1926-) – Filósofo.*

O objetivo da oratória não é a verdade, mas a persuasão.

Thomas Macauley – *Inglês (1800-1859) – Estadista, historiador.*

O diabo pode citar as Escrituras quando isso lhe convém.

William Shakespeare – *Inglês (1564-1616) – Dramaturgo, poeta, autor de "Hamlet", "Romeu e Julieta", "Otelo", "Megera Domada", entre outros.*

Ambição

Ambição é como fome. Sua única lei é seu apetite.

Josh Billings – *Americano (1818-1885) – Escritor, humorista.*

Promessas

Ninguém promete tanto como aquele que não pretende cumprir.

Francisco de Quevedo y Villegas – *Espanhol (1580-1645) – Poeta.*

Bajulação

Bajulação não tem problema, se você não inalar.

Adlai Stevenson – *Americano (1900-1965) – Político do partido democrata, candidato a presidente.*

Modéstia é a única isca certeira quando você procura um elogio.

Lord Chesterfield – *Inglês (1694-1773) – Estadista, escritor.*

Quem elogia todo mundo não elogia ninguém.

Samuel Johnson – *Inglês (1708-1784) – Crítico, poeta, lexicólogo.*

Um bajulador é aquele que alimenta um crocodilo, esperando comê-lo no final.

Winston Churchill – *Inglês (1874-1965) – Estadista, primeiro-ministro durante a Segunda Guerra Mundial.*

Crítica

Aqueles que vivem em casas de vidro não deveriam atirar pedras.

Provérbio usado hoje com "telhado de vidro".

Geoffrey Chaucer – *Inglês (1343-1400) – Poeta.*

Quando um homem aponta um dedo para alguém, ele deveria lembrar que quatro dedos estão apontando para ele.

Louis Nizer – *Americano, de origem inglesa (1902-1994) – Advogado de celebridades, escritor.*

Conchavos

Compromisso – um acordo entre dois homens de fazer aquilo que ambos consideram errado.

Lord Edward Cecil – *Inglês (1867-1918) – Major, administrador colonial.*

Fachada

As máscaras, a longo prazo, aderem ao rosto. A hipocrisia passa a ser sincera.

Edmond de Goncourt – *Francês (1822-1896) – Escritor, pseudônimo de Antoine Hout.*

Nas coisas grandes, os homens se mostram como lhes convém; nas pequenas, como são.

Nicolas Chamfort – *Francês (1741-1794) – Escritor, dramaturgo, jornalista.*

Luvas limpas muitas vezes ocultam mãos sujas.

Provérbio inglês

Formalidade

Solenidade é o escudo dos idiotas.

Charles de Montesquieu – *Francês (1689-1755) – Filósofo iluminista, autor de* Espírito das Leis.

Mania de grandeza

Um megalômano é um homem que pensa que, se ele não tivesse nascido, o mundo precisaria saber por quê.

Anônimo

Os cemitérios estão cheios de gente insubstituível.

Atribuída.

Charles De Gaulle – *Francês (1890-1970) – Estadista, líder militar, presidente da França.*

Competição

O boxe tem uma vantagem sobre a política. No ringue, você sabe exatamente qual a intenção do seu oponente.

Eder Jofre – *Brasileiro (1936-) – Pugilista.*

Vencer não é tudo. É a única coisa.

Henry "Red" Sanders – *Americano (séc. XX) – Técnico de futebol americano.*

Vencer é um hábito. Infelizmente, perder também.

Vincent Lombardi – *Americano (1913-1970) – Técnico de futebol americano.*

Comportamento

Homens e nações comportam-se sabiamente depois que eles esgotaram todas as outras alternativas.

Abba Eban – *Sul-africano (1915-2002) – Diplomata, estadista em Israel.*

Do sublime ao ridículo há apenas um passo.

Thomas Paine – *Americano (1773-1809) – Escritor, político, um dos signatários da Declaração de Independência Americana.*

Sensibilidade política

Entender as necessidades humanas é metade do trabalho para satisfazê-las.

Adlai Stevenson – *Americano (1900-1965) – Político do partido democrata, candidato a presidente.*

O que é necessário jamais é ridículo.

Cardeal de Retz – *Francês (1614-1679) – Político.*

É preciso endurecer, mas sem jamais perder a ternura.

Frase mais conhecida no original: "Hay que endurecerse, pero sin perder la ternura jamás".

Che Guevara – *Argentino (1928-1967) – Revolucionário, ajudou Fidel Castro em Cuba.*

Construir fábricas é fácil, fazer hospitais e escolas é possível, mas formar uma nação de homens é tarefa longa e árdua.

Gamal Abdel-Nasser – *Egípcio (1918-1970) – Político, militar, presidente do Egito.*

É espantoso o que você pode realizar se você não se importa com quem fica o crédito.

Harry Truman – *Americano (1884-1972) – 33º presidente (1945-1953).*

Quando você está em uma corda bamba, a ação mais perigosa é parar.

Henry Kissinger – *Americano (1923-) – Político muito influente.*

A melhor hora de se consertar o telhado é quando o tempo está bom.

John Kennedy – *Americano (1917-1963) – 35º presidente (1961-1963); seu assassinato permanece um mistério.*

O homem que quiser conduzir a orquestra tem de dar as costas ao público.

Max Lucado – *Americano (1955-) – Conferencista de assuntos bíblicos, escritor.*

Não é possível criar os acontecimentos. Pode-se navegar com eles e dar-lhes uma direção.

Otto von Bismarck – *Alemão (1814-1898) – Estadista, militar.*

Para se chegar à fonte é preciso nadar contra a corrente.

Stanislaw Lec – *Polonês (1909-1966) – Escritor, sobrevivente do holocausto nazista.*

É a direção e não a intensidade que deve ser levada em consideração.

Thomas Paine – *Americano (1773-1809) – Escritor, político, um dos signatários da Declaração de Independência Americana.*

Posicionamento

Na política sempre devemos optar por dois males.

Christopher Morley – *Americano (1890-1957) – Romancista, jornalista.*

Se você não sabe para onde vai, todos os caminhos o levam para lugar nenhum.

Henry Kissinger – *Americano (1923-) – Político muito influente.*

Neutralidade é só uma palavra para enganar as pessoas.

Mao Tse-Tung – *Chinês (1883-1976) – Líder comunista.*

Governar é escolher.

Pierre Mendès-France – *Francês (1907-1982) – Político de tendências socialistas.*

Não é um governo arrogante que escolhe prioridades. É um governo irresponsável que deixa de escolher.

Tony Blair – *Escocês (1953-) – Estadista, primeiro-ministro do Reino Unido.*

Teoria x Prática

É mais fácil lutar por seus princípios do que aplicá-los.

Alfred Adler – *Austríaco (1870-1937) – Psicólogo, escritor.*

Os pequenos atos que se executam são melhores que grandes atos que apenas se planejam.

George C. Marshall – *Americano (1880-1959) – Militar da Segunda Guerra Mundial, político.*

Trabalhe mais pela eliminação das maldades concretas do que pela realização do bem imaginário.

Karl Popper – *Austríaco (1902-1994) – Filósofo renomado, autor de* A Lógica da Descoberta Científica.

Falar x Fazer

Ações falam mais alto que palavras.

Abraham Lincoln – *Americano (1809-1865) – 6º presidente (1861-1865), lutou contra a escravidão.*

Bem feito é melhor do que bem dito.

Benjamin Franklin – *Americano (1706-1790) – Cientista, político, inventor, escritor, aforista, criador do primeiro pára-raios.*

Palavras que não se traduzem em fatos não têm importância.

Che Guevara – *Argentino (1928-1967) – Revolucionário, ajudou Fidel Castro em Cuba.*

Num mundo culto temos uma conduta florida, e num mundo inculto temos discursos floridos.

Confúcio – *Chinês (551-479 a.C.) – Filósofo, fundador do Confucionismo, uma religião e filosofia de vida.*

Depois de tudo que é dito e feito, mais é dito do que feito.

Esopo – *Grego (séc. VI a.C.) – Fabulista.*

A maioria das pessoas gasta mais tempo e energia ao falar dos problemas do que ao enfrentá-los.

Henry Ford – *Americano (1863-1947) – Industrial, fundador da indústria de automóveis Ford.*

Nesse mundo há muitas palavras e poucos ecos.

Johann Goethe – *Alemão (1749-1832) – Poeta, escritor, pensador, autor do livro de frases* Máximas e Reflexões.

Há dois tipos de pessoas: as que fazem as coisas e as que dizem que fizeram as coisas. Tente ficar no primeiro tipo. Há menos competição.

Mahatma Gandhi – *Indiano (1869-1948) – Ativista político, engajou-se pela independência da Índia, tornando-se um símbolo do pacifismo. Seu verdadeiro nome é Mohandas K. Gandhi.*

O que as pessoas dizem, o que as pessoas fazem e o que elas dizem que fazem são coisas inteiramente diferentes.

Margaret Mead – *Americana (1901-1978) – A mais famosa antropóloga de todos os tempos, estudou povos da Oceania.*

Exemplo

Exemplo não é o modo principal de influenciar os outros. É o único modo.

Albert Schweitzer – *Francês (1875-1965) – Teólogo, médico assistencialista, escritor, prêmio Nobel da Paz.*

Eu não tenho mensagem. Minha mensagem é minha vida.

Mahatma Gandhi – *Indiano (1869-1948) – Ativista político, engajou-se pela independência da Índia, tornando-se um símbolo do pacifismo. Seu verdadeiro nome é Mohandas K. Gandhi.*

O verdadeiro mérito é como um rio, quanto mais profundo ele é, menos barulho ele faz.

Marquês de Halifax – *Inglês (1633-1695) – Estadista, escritor.*

Lealdade

Os homens se apegam a nós menos pelo que receberam do que pelo que esperam receber.

Diego de Saavedra Fajardo – *Espanhol (1584-1648) – Político, filósofo.*

Cada vez que preencho um posto vago, faço cem descontentes e um ingrato.

Luis XIV – *Francês (1643-1715) – "Rei Sol" da França, sob monarquia Absolutista.*

Liderança

Pessoas, como carneiros, tendem a seguir um líder, ocasionalmente na direção certa.

Alexander Chase – *Americano (1926-) – Jornalista, editor.*

Um bom líder inspira os outros com confiança nele; um grande líder os inspira com confiança neles mesmos.

Anônimo

Um bom líder toma um pouco mais de sua parte na culpa e um pouco menos de sua parte do crédito.

Arnold Glasow – *Americano (1949-) – Humorista, popular frasista na Internet.*

Pessoas precisam mais de um líder do que um líder precisa das pessoas.

Bob Dylan – *Americano (1941-) – Cantor, compositor, poeta, autor de "Blowin' in the Wind".*

A tarefa do líder é conduzir seu pessoal de onde eles estão para onde eles ainda não estiveram.

Henry Kissinger – *Americano (1923-) – Político muito influente.*

Um líder é um negociante de esperança.

Napoleão Bonaparte – *Francês (1769-1821) – Imperador, militar, envolveu-se em muitas guerras.*

Dois capitães afundarão o navio.

Provérbio turco

Quando o mar está calmo, todo mundo pode ser timoneiro.

Públio Siro – *Romano (46 a.C.-43 d.C.) – Poeta.*

A função da liderança é produzir mais líderes, não mais seguidores.

Ralph Nader – *Americano (1934-) – Político, envolvido com organizações de defesa do consumidor.*

Lidere, siga ou saia do caminho.

Thomas Paine – *Americano (1773-1809) – Escritor, político, um dos signatários da Declaração de Independência Americana.*

Pragmatismo

Não importa se o gato é preto ou branco, desde que ele pegue os ratos.

Deng Xiaoping – *Chinês (1904-1997) – Governante, mentor das reformas capitalistas na China.*

Não se faz omelete sem quebrar os ovos.

Maximilien Robespierre – *Francês (1758-1794) – Político, um dos líderes da Revolução Francesa.*

O fim justifica os meios.

Atribuído.

Nicolau Maquiavel – *Italiano (1469-1527) – Político, filósofo, autor do ensaio político* O Príncipe.

Ousadia

O difícil nós fazemos agora, o impossível leva um pouco mais de tempo.

David Ben-Gurion – *Polonês (1886-1973) – Estadista, ajudou na criação de Israel.*

Não se pode saltar sobre um abismo com dois pulos pequenos.

David Lloyd George – *Galês (1863-1945) – Estadista.*

A história nos ensina que o homem não teria alcançado o possível se, muitas vezes, não tivesse tentado o impossível.

Max Weber – *Alemão (1864-1920) – Sociólogo, economista.*

Perseverança

Eu caminho devagar, mas nunca caminho para trás.

Abraham Lincoln – *Americano (1809-1865) – 6º presidente (1861-1865), lutou contra a escravidão.*

Quando você alcançar o fim de sua corda, dê um nó e segure firme.

Franklin Roosevelt – *Americano (1882-1945) – 32º presidente (1933-1945).*

Sou como uma planta do deserto. Uma única gota de orvalho é suficiente para me alimentar.

Leonel Brizola – *Brasileiro (1922-2004) – Político, governador do Rio de Janeiro (1983-1987 e 1991-1994) e do Rio Grande do Sul (1959-1963).*

Persistência é o trabalho duro que você faz depois que está cansado de fazer o trabalho duro que já está feito.

Newt Gingrich – *Americano (1943-) – Político, empresário, jornalista, escritor.*

Maior que a tristeza de não haver vencido é a vergonha de não ter lutado.

Rui Barbosa – *Brasileiro (1849-1923) – Político, advogado.*

Perseverança não é uma corrida longa, são muitas corridas curtas, uma após a outra.

Walter Elliot – *Escocês (1888-1958) – Político.*

Perfeição

As utopias são, muitas vezes, verdades prematuras.

Alphonse de Lamartine – *Francês (1790-1869) – Poeta.*

O ideal é não esperar pelo momento ideal.

Daniel Dantas – *Brasileiro (1954-) – Empresário, ligado ao Banco Oportunity.*

É melhor aproximadamente agora do que exatamente nunca.

Nizan Guanaes – *Brasileiro (1958-) – Publicitário, executivo, empresário.*

Entre o nada e a perfeição existe muita coisa.

Paulo Buchsbaum

Quando as melhores coisas não são possíveis, o melhor pode ser feito das coisas que são.

Richard Hooker – *Inglês (1554-1600) – Pregador, escritor.*

O ótimo é inimigo do bom.

Voltaire – *Francês (1694-1778) – Filósofo iluminista, escritor, autor de* Cândido.

Eu fico facilmente satisfeito com exatamente o melhor.

Winston Churchill – *Inglês (1874-1965) – Estadista, primeiro-ministro durante a Segunda Guerra Mundial.*

Agilidade

Não podemos fazer tudo imediatamente, mas podemos fazer alguma coisa já.

Calvin Coolidge – *Americano (1872-1933) – 30º presidente (1923-1929).*

Aquele que adia a hora de agir é como o camponês que espera o rio secar antes de atravessá-lo.

Horácio – *Romano (65-8 a.C.) – Poeta.*

O tempo é sempre certo para fazer o que é certo.

Martin Luther King – *Americano (1929-1968) – Líder negro que lutou pela igualdade, prêmio Nobel da Paz.*

Poderosos rios podem ser facilmente dominados na sua nascente.

Públio Siro – *Romano (46 a.C.-43 d.C.) – Poeta.*

Ação caótica é preferível à inércia ordenada.

Will Rogers – *Americano (1879-1935) – Humorista, ator.*

Parte 11

Vivendo em sociedade

Rebeldia

O que é rebelde? Um homem que diz não.

Albert Camus – *Francês, de origem argelina (1913-1960) – Escritor, ativista, filósofo existencialista, prêmio Nobel.*

A revolta é, no fundo, a linguagem dos que não foram ouvidos.

Martin Luther King – *Americano (1929-1968) – Líder negro que lutou pela igualdade, prêmio Nobel da Paz.*

Uma dica final para os rebeldes. Tenham sempre uma segunda profissão de reserva.

Nigel Nicolson – *Inglês (1917-2004) – Escritor, político.*

Quem nasce incendiário acaba como bombeiro.

Pitigrilli – *Italiano (1893-1975) – Escritor.*

Atuação política

Não adianta lutar contra, se não souber pelo que quer lutar.

Ayn Rand – *Americana, de origem russa (1905-1982) – Escritora.*

Quem sabe faz a hora, não espera acontecer.

Geraldo Vandré – *Brasileiro (1935-) – Cantor, compositor, autor de sucessos como "Para não dizer que não falei das flores" e "Disparada".*

Uma comunidade é como um navio; todos deveriam estar preparados para pegar o leme.

Henrik Ibsen – *Norueguês (1828-1906) – Dramaturgo, autor da peça feminista "Casa de Bonecas".*

O mundo que nos espera não está para ser conquistado, mas para ser construído.

Jean-Claude Guillebaud – *Francês, de origem argelina (1944-) – Jornalista, escritor, autor de* A Reinvenção do Mundo.

Não pergunte o que o país pode fazer por você, mas o que você pode fazer pelo país.

John Kennedy – *Americano (1917-1963) – 35º presidente (1961-1963); seu assassinato permanece um mistério.*

Sejamos realistas, peçamos o impossível.

Palavra de ordem utilizada pelos estudantes, nas manifestações de maio de 1968 em Paris

Anônimo

Nunca duvide que um pequeno grupo de cidadãos preocupados e comprometidos possa mudar o mundo; de fato é só isso que se tem.

Margaret Mead – *Americana (1901-1978) – A mais famosa antropóloga de todos os tempos, estudou povos da Oceania.*

Que haja transformação e que comece comigo.

Marilyn Ferguson – *Americana (1938-) – Escritora, psicóloga, editora.*

Não queime a bandeira. Lave-a.

Norman Thomas – *Americano (1884-1968) – Político socialista.*

Na luta contra o indivíduo, a sociedade dispõe de três armas: a lei, a opinião pública e a consciência.

W. Somerset Maugham – *Inglês, de origem francesa (1874-1965) – Escritor, dramaturgo, autor de* O Fio da Navalha.

Responsabilidade

Não somos responsáveis apenas pelo que fazemos, mas também pelo que deixamos de fazer.

Molière – *Francês (1622-1673) – Dramaturgo, autor de várias comédias como "O Doente Imaginário", "Tartufo" e "O Avarento".*

Nenhum floco de neve em uma avalanche sente-se responsável.

Stanislaw Lec – *Polonês (1909-1966) – Escritor, sobrevivente do holocausto nazista.*

Escolha

Escolher o menor de dois males é ainda escolher mal.

Christopher Hampton – *Inglês, de origem açoriana (1946-) – Dramaturgo, tradutor, roteirista.*

Entre maçãs podres, a margem de escolha é pequena.

William Shakespeare – *Inglês (1564-1616) – Dramaturgo, poeta, autor de "Hamlet", "Romeu e Julieta", "Otelo", "Megera Domada", entre outros.*

Falar x Agir

É muito ruim que todas as pessoas que sabem como dirigir o país estão ocupadas dirigindo táxis e cortando cabelo.

George Burns – *Americano (1896-1996) – Ator, comediante, cantor.*

Ativista não é o homem que diz que o rio está sujo. Ativista é o homem que limpa o rio.

Ross Perot – *Americano (1930-) – Político, empresário, bilionário.*

O problema com esse país é que há muitas pessoas dizendo: "O problema com esse país é...".

Sinclair Lewis – *Americano (1885-1951) – Romancista, dramaturgo, prêmio Nobel.*

Passividade

O mundo é um lugar perigoso para viver. Não pelas pessoas que são más, mas pelas pessoas que não fazem nada diante disso.

Albert Einstein – *Alemão (1879-1955) – Um dos físicos mais famosos de todos os tempos, autor da Teoria da Relatividade, prêmio Nobel.*

Para o triunfo do mal basta que os bons fiquem de braços cruzados.

Comumente atribuída a Edmund Burke, estadista irlandês do séc. XVIII.

Anônimo

Quem vive só de esperanças morrerá de fome.

Benjamin Franklin – *Americano (1706-1790) – Cientista, político, inventor, escritor, aforista, criador do primeiro pára-raios.*

Uma sociedade de carneiros gera com o tempo um governo de lobos.

Bertrand de Jouvenel – *Francês (1903-1987) – Economista.*

Peque por ação, não por omissão.

Comandante Rolim – *Brasileiro (1942-2001) – Líder da TAM.*

Aplausos, misturados com vaias e assobios, é tudo aquilo que o eleitor padrão é capaz, ou tem vontade, de fazer.

Elmer Davis – *Americano (1890-1958) – Repórter.*

A paciência dos povos é a manjedoura dos tiranos.

Emilio de Marchi – *Italiano (1851-1901) – Escritor.*

A resignação é um suicídio cotidiano.

Honoré de Balzac – *Francês (1799-1850) – Escritor, autor de* A Mulher de 30 Anos, *que deu origem ao termo "balzaquiana".*

Toda política é baseada na indiferença da maioria.

James Reston – *Americano (1909-1995) – Jornalista.*

Tolerância não significa aceitar o que se tolera.

Mahatma Gandhi – *Indiano (1869-1948) – Ativista político, engajou-se pela independência da Índia, tornando-se um símbolo do pacifismo. Seu verdadeiro nome é Mohandas K. Gandhi.*

Não sejas uma vítima. Não sejas um executor. Acima de tudo, não sejas um espectador.

Museu do Holocausto – *Washington – Estados Unidos.*

Apenas os sábios possuem idéias; a maior parte da humanidade é possuída por elas.

Samuel Taylor Coleridge – *Inglês (1772-1834) – Poeta, crítico, filósofo.*

Individualismo

A ambição universal dos homens é viver colhendo o que nunca plantaram.

Adam Smith – *Escocês (1723-1790) – Economista, autor de* A Riqueza das Nações.

Geralmente lutamos muito mais pelos nossos interesses do que pelos nossos direitos.

Anônimo

Hoje em dia, muitas pessoas estão dispostas a meter sua colher, mas poucas dispostas a ajudar a fazer a sopa.

Anônimo

O que torna a igualdade tão difícil de concretizar é que somente a queremos com nossos superiores.

Henri Becque – *Francês (1837-1899) – Dramaturgo.*

Quando os cidadãos são tratados como gado eleitoral, estes tratam o governo como uma vaca leiteira.

Jürgen Wilbert – *Alemão (1945-) – Escritor.*

Há quem passe pelo bosque e só veja lenha para fogueira.

Leon Tolstoi – *Russo (1828-1910) – Escritor, autor de* Guerra e Paz.

Todos reclamam reformas, mas ninguém quer se reformar.

Marquês de Maricá – *Brasileiro (1773-1848) – Escritor satírico, seu nome é Mariano Fonseca, autor de* Máximas, Pensamentos e Reflexões.

O homem branco sabe como fazer tudo, mas não sabe como distribuí-lo.

Touro Sentado – *Americano (1831-1890) – Líder indígena da tribo Sioux.*

Todos querem comer na mesa do governo, mas ninguém quer lavar os pratos.

Werner Finck – *Alemão (1902-1978) – Dono de cabarés, comediante.*

Se quem governa não dá o exemplo, pouco se pode esperar dos governados.

Yves Gandra da Silva Martins – *Brasileiro (1935-) – Advogado.*

Alienação

Você pode não se ocupar de política, mas a política se ocupará de você.

Charles de Montalembert – *Francês (1810-1870) – Escritor.*

Pode-se induzir o povo a seguir uma causa, mas não a compreendê-la.

Confúcio – *Chinês (551-479 a.C.) – Filósofo, fundador do Confucionismo, uma religião e filosofia de vida.*

O povo quer pão e circo.

Décimo Júnio Juvenal – *Romano (55-127) – Poeta satírico, autor de* Sátiras.

Alienado é o poder e não o jovem.

Marcelo Rubens Paiva – *Brasileiro (1959-) – Escritor, jornalista, paralítico depois de um acidente, autor de* Feliz Ano Velho.

Se porcos pudessem votar, o homem que lhes trouxesse comida seria eleito sempre, não importando quantos mandasse para o matadouro.

Orson Scott Card – *Americano (1951-) – Escritor.*

Um povo ignorante é instrumento cego de sua própria destruição.

Simón Bolívar – *Venezuelano (1783-1830) – General, considerado libertador de vários países sul-americanos.*

Cada vez que pensamos que o problema não é nosso, essa atitude é o problema.

Stephen R. Covey – *Americano (1932-) – Empresário, escritor, conferencista, autor de* Os 7 Hábitos das Pessoas Muito Eficazes.

Deixe as pessoas pensarem que governam e elas serão governadas.

William Penn – *Americano (1644-1718) – Colonizador, fundador da Pensilvânia.*

Submissão

Melhor um dia de leão do que cem anos de ovelha.

Benito Mussolini – *Italiano (1883-1945) – Ditador fascista que apoiou a Alemanha na Segunda Guerra Mundial.*

É melhor morrer em pé do que viver de joelhos.

Atribuído.

Dolores Ibarruri – *Espanhola (1895-1989) – Líder comunista com atuação destacada na Guerra Civil Espanhola.*

Ninguém pode fazer você se sentir inferior sem seu consentimento.

Eleanor Roosevelt – *Americana (1884-1962) – Esposa do presidente americano Franklin Roosevelt.*

O homem não pode montar nas tuas costas a não ser que elas se inclinem.

Martin Luther King – *Americano (1929-1968) – Líder negro que lutou pela igualdade, prêmio Nobel da Paz.*

Os grandes só nos parecem grandes porque estamos de joelhos. Levantemo-nos.

Pierre-Joseph Proudhon – *Francês (1809-1865) – Jornalista, socialista libertário.*

Todos amam os bons mas os exploram. Todos detestam os maus mas os temem e lhes obedecem.

V. Buttafava – *Italiano (séc. XX) – Escritor.*

Do medo de todos nasce a baixeza de muitos.

Vittorio Alfieri – *Italiano (1749-1803) – Poeta.*

Conformidade

A conformidade é o carcereiro da liberdade e o inimigo do crescimento.

John Kennedy – *Americano (1917-1963) – 35º presidente (1961-1963); seu assassinato permanece um mistério.*

Não esqueça que só peixe morto nada com a corrente.

Malcolm Muggeridge – *Inglês (1903-1990) – Escritor, jornalista.*

Atitude

Resistência e obediência, eis as duas virtudes do cidadão; pela obediência é assegurada a ordem, e a resistência garante a liberdade.

Alain – *Francês (1868-1951) – Filósofo, poeta, seu verdadeiro nome é Émile-Auguste Chartier.*

Aqueles que não ponderam são fanáticos, aqueles que não podem ponderar são tolos, e aqueles que não ousam fazê-lo são escravos.

Lord Byron – *Inglês (1788-1824) – Poeta romântico.*

O teste da coragem vem quando estamos em minoria; o teste da tolerância, quando estamos em maioria.

Ralph W. Sockman – *Americano (1889-1970) – Pregador metodista em rádio e TV.*

As massas não são responsáveis pelo que fazem.

Virginia Woolf – *Inglesa (1882-1941) – Romancista, ensaísta, crítica, autora de* Mrs. Dalloway.

Perda de sensibilidade

O pior mal é aquele ao qual nos acostumamos.

Jean-Paul Sartre – *Francês (1905-1980) – Filósofo existencialista, romancista, dramaturgo, autor de* O Ser e o Nada.

Princípios

O homem livre é senhor da sua vontade e escravo somente da sua consciência.

Aristóteles – *Grego (384-322 a.C.) – Filósofo que escrevia sobre lógica, ciência, psicologia e política.*

A única coisa que não se enquadra na regra da maioria é a consciência de cada um.

Harper Lee – *Americana (1926-) – Romancista, prêmio Pulitzer.*

Prefira afrontar o mundo servindo à sua consciência a afrontar sua consciência servindo ao mundo.

Humberto de Campos – *Brasileiro (1886-1934) – Escritor, cronista.*

Nós devemos nos ajustar às mudanças dos nossos tempos, mas sem mudar nossos princípios.

Jimmy Carter – *Americano (1924-) – 39º presidente (1977-1981), prêmio Nobel da Paz.*

Antes ser um oportunista e boiar do que afundar com meus princípios em volta de meu pescoço.

Stanley Baldwin – *Inglês (1867-1947) – Estadista.*

Parte 12

Civilização

Mundo

Talvez este mundo seja o inferno de outro planeta.

Aldous Huxley – *Inglês (1894-1963) – Romancista, ensaísta, autor de* Admirável Mundo Novo.

A vida na Terra inclui uma viagem anual grátis em volta do Sol.

Anônimo

Os outros planetas podem não ter vida, mas não é fácil neste também.

Anônimo

Pare o mundo, que eu quero descer.

Anthony Newley – *Inglês (1931-1999) – Ator e cantor.*

Para este mundo ficar bom, é preciso fazer outro.

Barão de Itararé – *Brasileiro (1895-1971) – Humorista, jornalista, cujo verdadeiro nome é Apparício Torelly.*

As gerações se sucedem e a Terra permanece.

De Eclesiastes 1:4.

Bíblia – *Velho Testamento*

O mundo começou sem o homem e terminará sem ele.

Claude Lévi-Strauss – *Francês, de origem belga (1908-1990) – Renomado antropólogo, que chegou a morar no Brasil.*

A Terra é o provável paraíso perdido.

Frederico Garcia Lorca – *Espanhol (1898-1936) – Poeta, escritor, mártir da guerra civil espanhola.*

A Terra tem uma pele e essa pele tem doenças; uma dessas doenças é chamada homem.

Friedrich Nietzsche – *Alemão (1844-1900) – Filósofo, autor de* Assim Falou Zaratrusta.

Embora o mundo seja cheio de sofrimento, ele também é cheio de superação.

Helen Keller – *Americana (1880-1968) – Escritora cega e surda, advogada, autora de* A História da Minha Vida.

A Terra é mais nobre que o mundo que colocamos sobre ela.

J. B. Priestley – *Inglês (1894-1984) – Romancista, crítico, dramaturgo.*

Terra: uma lua do sol.

Leonardo da Vinci – *Italiano (1452-1519) – Pintor, cientista, autor de "Monalisa".*

O mundo não é ruim, só é muito mal freqüentado.

Luis Fernando Verissimo – *Brasileiro (1936-) – Escritor, redator de TV, cronista, humorista.*

Esse mundo pode ser que não preste, mas é tão bom de olhar.

Mário Quintana – *Brasileiro (1906-1994) – Poeta, cronista, com visão humanista, autor de* Antologia Poética.

Não há passageiros na nave espacial Terra; somos todos tripulação.

Marshall McLuhan – *Canadense (1911-1980) – Escritor, teórico de Comunicação.*

Deste mundo nada se leva. Dos outros se traz apenas pedras de laboratório.

Millôr Fernandes – *Brasileiro (1924-) – Escritor, cronista, humorista, aforista, tradutor, autor do livro de frases próprias* Millôr Definitivo – A Bíblia do Caos.

O universo é feito de histórias e não de átomos.

Muriel Rukeyser – *Americano (1913-1980) – Poeta.*

O mundo pode ser um palco, mas o elenco é um horror.

Oscar Wilde – *Irlandês (1854-1900) – Poeta e dramaturgo, autor de* O Retrato de Dorian Gray, *frasista.*

Há outro mundo, mas está neste mundo.

Paul Éluard – *Francês (1895-1952) – Poeta.*

Dois perigos ameaçam constantemente o mundo: a ordem e a desordem.

Paul Valéry – *Francês (1871-1945) – Escritor filosófico e poeta.*

O fato mais importante sobre a espaçonave Terra: o livro de instruções não veio com ela.

Richard Fuller – *Americano (1895-1983) – Arquiteto, inventor, poeta, filósofo, empresário.*

Se quisermos fazer um mundo novo, o material está à nossa disposição; o primeiro também nasceu do caos.

Robert Quillen – *Americano (1887-1948) – Humorista, cartunista, jornalista.*

Depois de uma olhada neste planeta, qualquer visitante extraterrestre diria: "Eu quero ver o gerente".

William Burroughs – *Americano (1914-1997) – Famoso escritor* underground.

O maior dos problemas do mundo poderia ter sido resolvido quando era pequeno.

Witter Bynner – *Americano (1881-1968) – Poeta.*

Internacionalismo

Há um simbolismo esperançoso, já que bandeiras não tremulam no vácuo.

Arthur C. Clarke – *Inglês (1917-) – Autor de ficção científica, escreveu* 2001: Uma Odisséia no Espaço.

A atmosfera não conhece fronteiras e os ventos não levam passaportes.

Crispin Tickell – *Inglês (1930-) – Diplomata e acadêmico.*

Toda população do Universo, com uma insignificante exceção, é composta dos demais.

John Haynes Holmes – *Americano (1879-1964) – Eclesiástico, escritor, editor.*

Só seremos universais se conhecermos e amarmos nossa aldeia.

Leon Tolstoi – *Russo (1828-1910) – Escritor, autor de* Guerra e Paz.

Ecologia

Não é a poluição que está prejudicando o meio ambiente. São as impurezas no ar e na água que fazem isso.

Frase atribuída a Quayle (ou a Bush), mas falsa.

Anônimo

Bons planetas são difíceis de encontrar.

Anônimo

Eu sou eu e o que me cerca. Se eu não preservar o que me cerca, eu não me preservo.

José Ortega y Gasset – *Espanhol (1883-1955) – Filósofo.*

Quando ouço falar de ecologia, saco logo meu talão de cheques.

Paulo Francis – *Brasileiro (1930-1997) – Cronista, escritor, jornalista de jornal e TV.*

Destruição da natureza

Quando um homem mata um tigre, chamam de esporte; se um tigre mata um homem, chamam de ferocidade.

George Bernard Shaw – *Americano, de origem irlandesa (1856-1950) – Dramaturgo, prêmio Nobel, autor da peça "Pigmaleão".*

Árvores são poemas que a terra escreve para o céu. Nós as derrubamos e as transformamos em papel para registrar todo o nosso vazio.

Kahlil Gibran – *Sírio (1883-1931) – Poeta, escritor, autor de* Areias e Espumas.

Derrubam-se florestas e, depois, cultivam-se plantas dentro de casa.

Max Nunes – *Brasileiro (1922-) – Redator de humor, colaborador do programa "Jô onze e meia".*

O homem é o câncer da natureza.

Millôr Fernandes – *Brasileiro (1924-) – Escritor, cronista, humorista, aforista, tradutor, autor do livro de frases próprias* Millôr Definitivo – A Bíblia do Caos.

O homem é antecedido pela floresta e sucedido pelo deserto.

Pichação na França

Um homem que abandona a natureza começou a abandonar a si mesmo.

Pierre Van Paassen – *Americano, de origem holandesa (1895-1968) – Jornalista, ativista.*

Quando tiver sido cortada a última árvore, poluído o último rio e pego o último peixe, aí sim eles verão que dinheiro não se come.

Provérbio Cree – *Tribo norte-americana.*

Nós estamos matando as coisas que nos mantêm vivos.

Thor Heyerdahl – *Norueguês (1914-2002) – Explorador.*

Se você envenena o ambiente, o ambiente envenenará você.

Tony Follari – *Neozelandês (contemporâneo) – Comediante.*

Natureza

A maior alegria na natureza é a ausência do homem.

Bliss Carman – *Canadense (1861-1929) – Poeta.*

Entender as leis da natureza não significa que nós estamos desobrigados de desobedecê-las.

David Gerrold – *Americano (1944-) – Escritor de ficção científica, usa o pseudônimo Solomon Short.*

A natureza, para ser comandada, tem que ser obedecida.

Francis Bacon – *Inglês (1561-1626) – Filósofo, escritor, precursor do raciocínio dedutivo.*

Na natureza não há recompensa nem punições: há conseqüências.

Horace Annesley Vachell – *Inglês (1861-1955) – Escritor.*

Deixemos a natureza seguir seu caminho. Ela entende do seu negócio melhor do que nós.

Michel de Montaigne – *Francês (1533-1592) – Filósofo renascentista, autor de* Ensaios.

O homem é o único erro da natureza.

W. S. Gilbert – *Inglês (1836-1911) – Poeta satírico.*

História

A História é uma galeria de quadros em que há poucos originais e muitas cópias.

Alexis de Tocqueville – *Francês (1805-1859) – Filósofo social, político.*

A maneira mais fácil de mudar a História é tornar-se um historiador.

Anônimo

Um estudante que muda o curso da História está provavelmente prestando um exame.

Anônimo

Notícias são o primeiro rascunho da História.

Benjamin Bradlee – *Americano (1921-) – Jornalista.*

Depois de você ouvir duas testemunhas oculares de um acidente de carro, você passa a se questionar sobre a História.

Bit & Pieces – *Revista americana de citações, histórias e piadas.*

Feliz o povo cuja História se lê com aborrecimento.

Charles de Montesquieu – *Francês (1689-1755) – Filósofo iluminista, autor de* Espírito das Leis.

A civilização de uma época se torna o adubo da próxima.

Ciryl Connolly – *Inglês (1903-1974) – Escritor, jornalista.*

A História se repete. Esta é uma das coisas erradas com ela.

Clarence Darrow – *Americano (1857-1938) – Advogado.*

A História é um romance do que aconteceu e o romance é a história que poderia ter acontecido.

Edmond de Goncourt – *Francês (1822-1896) – Escritor, pseudônimo de Antoine Hout.*

A História não é mais do que um registro dos crimes, loucuras e desventuras do homem.

Edward Gibbons – *Inglês (1737-1794) – Historiador, autor de* O Declínio e Queda do Império Romano.

História é mentira encadernada.

Enrique Jardiel Poncela – *Espanhol (1901-1952) – Romancista, escritor de comédias.*

A única coisa que o homem aprende da História é que o homem não aprende nada da História.

Friedrich Hegel – *Alemão (1770-1831) – Filósofo, autor de* Fenomenologia do Espírito.

A História é um profeta olhando para trás.

Friedrich von Schlegel – *Alemão (1772-1829) – Crítico, escritor.*

Um historiador é um profeta ao contrário.

Friedrich von Schlegel

A História é escrita pelos vencedores.

George Orwell – *Inglês (1903-1950) – Escritor, autor de* 1984, *que prenunciava um futuro sombrio.*

A História julga só os resultados e não os propósitos.

Gregorio Marañon – *Espanhol (1887-1960) – Médico, escritor.*

A História é um pesadelo do qual estamos tentando acordar.

James Joyce – *Irlandês (1882-1941) – Romancista, poeta, dramaturgo, autor de* Ulisses.

A História se repete, primeiro como tragédia e depois como farsa.

Karl Marx – *Alemão (1818-1883) – Principal teórico do Comunismo, autor de* O Capital.

A História é a soma das coisas que poderiam ter sido evitadas.

Konrad Adenauer – *Alemão (1876-1976) – Político, chanceler alemão.*

A História nos ensina os erros que iremos cometer.

Laurence J. Peter – *Canadense (1919-1990) – Escritor, humorista, aforista, autor de* O Princípio de Peter.

Aquele que colocar sua mão para parar a roda da História terá seus dedos esmagados.

Lech Walesa – *Polonês (1943-) – Ex-sindicalista, fundador do "Solidariedade", ex-presidente, prêmio Nobel da Paz.*

História seria uma coisa maravilhosa, se ela fosse verdadeira.

Leon Tolstoi – *Russo (1828-1910) – Escritor, autor de* Guerra e Paz.

A História é a escritura do diabo.

Lord Byron – *Inglês (1788-1824) – Poeta romântico.*

Aprender História é fácil. Difícil é aprender as lições da História.

Mansour Chalita – *Colombiano, radicado no Brasil (1918-) – Escritor prolífico, incluindo* Os Mais Belos Pensamentos de Todos os Tempos, *em 5 volumes.*

A História não é mais que uma fábula aceita.

Napoleão Bonaparte – *Francês (1769-1821) – Imperador, militar, envolveu-se em muitas guerras.*

O dever que temos com a História é de reescrevê-la.

Oscar Wilde – *Irlandês (1854-1900) – Poeta e dramaturgo, autor de* O Retrato de Dorian Gray, *frasista.*

Em tempos como este é bom se lembrar que sempre houve tempos como este.

Paul Harvey – *Americano (1918-) – Radialista jornalístico.*

A História se repete. Historiadores se repetem.

Philip Guedalla – *Inglês (1889-1944) – Escritor.*

São os fatos do dia que fazem a História, mas são as palavras do dia seguinte que a escrevem.

Pierre Daninos – *Francês (1913-2005) – Escritor.*

Até que os leões tenham seus próprios historiadores, as histórias de caça glorificarão sempre os caçadores.

Provérbio africano

Um erro antigo é mais popular que uma verdade recente.

Provérbio alemão

A geração que ignora a História não tem nenhum passado... e nenhum futuro.

Robert Heinlein – *Americano (1907-1988) – Escritor de ficção científica.*

A História da política é um assunto perverso demais para ser adequado ao ensino de crianças.

W. H. Auden – *Inglês (1907-1973) – Poeta, editor, dramaturgo.*

O homem

A raça humana tem aperfeiçoado tudo, exceto a raça humana.

Adlai Stevenson – *Americano (1900-1965) – Político do partido democrata, candidato a presidente.*

É da natureza humana pensar sabiamente e agir tolamente.

Anatole France – *Francês (1844-1924) – Escritor, poeta.*

As pessoas mais civilizadas estão tão perto da barbárie como o metal polido da ferrugem. Pessoas, como metais, têm apenas uma superfície brilhante.

Antoine Rivarol – *Francês (1753-1801) – Jornalista.*

Os seres humanos são as únicas criaturas capazes de se comportar irracionalmente em nome da razão.

Ashley Montagu – *Inglês (1905-1999) – Professor e cientista social.*

O homem não passa de uma gota d'água... mas uma gota muito presunçosa.

Carl Jung – *Suíço (1875-1961) – Psicólogo, psiquiatra.*

O principal obstáculo do progresso da raça humana é a raça humana.

Don Marquis – *Americano (1878-1937) – Humorista, jornalista, poeta.*

O homem é o único animal cuja existência é um problema que ele tem que resolver.

Erich Fromm – *Alemão (1900-1980) – Psicanalista, sociólogo.*

Zôo: um lugar excelente para estudar os hábitos dos seres humanos.

Evan Esar – *Americano (1899-1995) – Humorista, escritor de livro de citações humorísticas.*

O ser humano é um homem cego que sonha que pode ver.

Friedrich Hebbel – *Alemão (1813-1863) – Dramaturgo, poeta, autor de* Os Nibelungos.

Fora do homem não há nada.

George Orwell – *Inglês (1903-1950) – Escritor, autor de* 1984, *que prenunciava um futuro sombrio.*

O homem é a única criatura que consome sem produzir.

George Orwell

Os homens tornaram-se ferramentas de suas ferramentas.

Henry David Thoreau – *Americano (1817-1862) – Poeta, ensaísta.*

O homem é o único animal capaz de rir de si mesmo. Não há nenhum mérito. É o único que dá motivos para isso.

Jaume Perich – *Espanhol (1941-1995) – Humorista, cartunista.*

O homem é o sujeito e não o objeto da economia e da política.

João Paulo II – *Polonês (1920-2005) – Papa.*

O homem é o único animal que bebe sem ter sede, come sem ter fome e fala sem ter nada a dizer.

John Steinbeck – *Americano (1902-1968) – Romancista, prêmio Nobel, autor do romance* As Vinhas da Ira.

O homem é o único tipo de animal que arma sua própria armadilha, põe a isca e então pisa sobre ela.

John Steinbeck

Acredito que achei o elo perdido entre animais e homens civilizados. Somos nós.

Konrad Lorenz – *Austríaco (1903-1989) – Etólogo.*

O homem é o único animal que se ruboriza. Pior: é o único que tem motivos para isso.

Mark Twain – *Americano (1835-1910) – Escritor, ensaísta, humorista.*

O homem é o lobo do homem.

Plauto – *Romano (254-184 a.C.) – Dramaturgo autor de diversas comédias, muito popular na época.*

O homem é a medida de todas as coisas.

Protágoras – *Grego (485-415 a.C.) – Professor de filosofia.*

O homem existe por si mesmo e não para ser mais um membro do estado.

Ralph Waldo Emerson – *Americano (1803-1882) – Poeta, filósofo, ensaísta, autor de* Natureza.

Todos os animais, com exceção do homem, sabem que o principal objetivo da vida é usufruí-la.

Samuel Butler – *Inglês (1835-1902) – Romancista, autor satírico.*

Nada que é humano me é estranho.

Terêncio – *Romano (190-159 a.C.) – Dramaturgo, autor de diversas comédias.*

Humanidade

Afinal, há apenas uma raça – humanidade.

George Moore – *Irlandês (1852-1933) – Dramaturgo, poeta, escritor.*

Nossa verdadeira nacionalidade é a humanidade.

H. G. Wells – *Inglês (1866-1944) – Escritor de ficção científica, autor de* 20 Mil Léguas Submarinas.

A humanidade é a imortalidade dos mortais.

Karl Ludwig Borne – *Alemão (1786-1837) – Escritor, editor.*

Um a um, somos todos mortais. Juntos, somos eternos.

Plinio Apuleyo – *Colombiano (1932-) – Escritor, jornalista.*

Humanidade: um trabalho em progresso.

Tennessee Williams – *Americano (1911-1983) – Dramaturgo, prêmio Pulitzer, autor de* Um Bonde Chamado Desejo.

Sociedade

Uma civilização é baseada no que é exigido dos homens e não no que é dado a eles.

Antoine de Saint-Exupéry – *Francês (1900-1944) – Escritor, autor de* O Pequeno Príncipe.

Civilização é um movimento e não uma condição, uma viagem e não um porto.

Arnold Toynbee – *Inglês (1889-1975) – Historiador, filósofo.*

Sociedade é como água salgada: bom de nadar mas dura de engolir.

Arthur Stringer – *Canadense (1874-1950) – Escritor.*

A civilização não é nada senão uma camada de pintura que qualquer chuvinha lava.

Auguste Rodin – *Francês (1840-1917) – Escultor, autor da obra "O Pensador".*

Arte é a assinatura da civilização.

Beverly Sills – *Americana (1929-) – Cantora de ópera.*

A sociedade é a união dos homens, e não os próprios homens.

Charles de Montesquieu – *Francês (1689-1755) – Filósofo iluminista, autor de* Espírito das Leis.

O que não serve para o enxame não serve para a abelha.

Charles de Montesquieu

Toda sociedade é um organismo podre que se conserva graças ao gelo da hipocrisia.

Enrique Jardiel Poncela – *Espanhol (1901-1952) – Romancista, escritor de comédias.*

Estamos condenados à civilização: ou progredimos ou desaparecemos.

Euclides da Cunha – *Brasileiro (1866-1909) – Jornalista, escritor, autor de* Os Sertões.

A sociedade é como o ar: necessário para respirar, mas insuficiente para dele se viver.

George Santayana – *Americano, de origem espanhola (1863-1952) – Filósofo, romancista, poeta.*

Eu sou otimista sobre o futuro, não em relação a esta civilização. Eu sou otimista sobre a civilização que substituirá essa.

James Baldwin – *Americano (1924-1987) – Romancista, ensaísta.*

Civilização não é nada mais do que o esforço de reduzir o uso da força como último recurso.

José Ortega y Gasset – *Espanhol (1883-1955) – Filósofo.*

O teste de uma civilização é o modo como ela cuida de seus membros inúteis.

Pearl S. Buck – *Americana (1892-1973) – Escritora, prêmio Nobel.*

O mundo civilizado representa uma vitória da persuasão sobre a força.

Platão – *Grego (428-347 a.C.) – Filósofo, autor de* A República.

Todo homem é necessário e nenhum homem é muito necessário.

Ralph Waldo Emerson – *Americano (1803-1882) – Poeta, filósofo, ensaísta, autor de* Natureza.

A civilização nasce com a ordem, cresce com a liberdade e morre no caos.

Will Durant – *Americano (1885-1981) – Filósofo, historiador, autor do livro, em vários volumes,* História das Civilizações.

Civilização existe por consentimento geológico, sujeito a mudanças sem aviso prévio.

Will Durant

Progresso

Vivemos em uma época perigosa. O homem domina a natureza, antes que tenha aprendido a dominar a si mesmo.

Albert Schweitzer – *Francês (1875-1965) – Teólogo, médico assistencialista, escritor, prêmio Nobel da Paz.*

A arte do progresso é preservar a ordem mantendo a mudança e preservar a mudança mantendo a ordem.

Alfred North Whitehead – *Inglês (1861-1947) – Matemático, filósofo, lógico, colaborador de Bertrand Russell.*

A era atômica veio para ficar. E nós?

Bennett Cerf – *Americano (1898-1971) – Jornalista, editor.*

De nada serve ao homem conquistar a Lua, se acaba por perder a Terra.

François Mauriac – *Francês (1885-1970) – Escritor, dramaturgo, prêmio Nobel.*

O ruim é que a ciência ganha em conhecimento mais do que a sociedade ganha em sabedoria.

Isaac Asimov – *Americano, de origem russa (1920-1992) – Escritor, autor de ficção científica (como* Eu, robô*) e livros de divulgação científica.*

O progresso estava indo bem. Só que ele foi longe demais.

James Thurber – *Americano (1894-1961) – Romancista, humorista.*

O progresso começa com a crença de que o necessário é possível.

Norman Cousins – *Americano (1915-1990) – Editor, recuperou-se de sérios problemas de saúde e escreveu sobre isso.*

É difícil dizer o que é impossível, pois a fantasia de ontem é a esperança de hoje e a realidade de amanhã.

Robert H. Goddard – *Americano (1882-1945) – Físico que lançou as bases do vôo espacial.*

Muitas vezes, coisas terríveis que são feitas com a desculpa de que o progresso as exige, não são realmente progresso, mas apenas coisas terríveis.

Russell Baker – *Americano (1925-) – Jornalista, autor, humorista, prêmio Pulitzer.*

É progresso se um canibal usa garfo e faca?

Stanislaw Lec – *Polonês (1909-1966) – Escritor, sobrevivente do holocausto nazista.*

Progresso é a habilidade do homem complicar as coisas simples.

Thor Heyerdahl – *Norueguês (1914-2002) – Explorador.*

Censura

Censura é propaganda paga pelo governo.

Frederico Fellini – *Italiano (1920-1993) – Cineasta* cult, *autor de vários clássicos como "Oito e meio" e "La dolce vita".*

Censura pode ser útil para a preservação da moralidade, mas não para sua restauração.

Jean-Jacques Rousseau – *Francês (1712-1778) – Filósofo iluminista, autor de* Contrato Social.

A censura é a mãe da metáfora.

Jorge Luis Borges – *Argentino (1899-1986) – Poeta, romancista, contista, prêmio Cervantes.*

Censura reflete a falta de confiança da sociedade nela mesma.

Potter Stewart – *Americano (1915-1985) – Juiz da Suprema Corte.*

Imprensa

Liberdade de imprensa é garantida apenas àqueles que a possuem.

Abbott Joseph Liebling – *Americano (1904-1963) – Jornalista.*

Um editor de jornal é alguém que separa o joio do trigo – e imprime o joio.

Adlai Stevenson – *Americano (1900-1965) – Político do partido democrata, candidato a presidente.*

Uma imprensa livre pode, é claro, ser boa ou má, mas, certamente, sem liberdade, é apenas má.

Albert Camus – *Francês, de origem argelina (1913-1960) – Escritor, ativista, filósofo existencialista, prêmio Nobel.*

Nunca arranje uma briga com quem compra tinta em barril e papel às toneladas.

Anônimo

Quando falar com a imprensa, lembre-se de que ela sempre tem a última palavra.

Anônimo

Um bom jornal é uma nação falando consigo mesma.

Arthur Miller – *Americano (1915-2005) – Dramaturgo, prêmio Pulitzer, autor de* Morte de um Vendedor.

O cachorro morder um homem não é notícia, notícia é um homem ter mordido um cachorro.

Charles A. Dana – *Americana (1819-1897) – Editora de jornais.*

Um político que se queixa da imprensa é o mesmo que um capitão de navio que acusa o mar.

Enoch Powell – *Inglês (1912-1998) – Político.*

Em que jornal podemos confiar totalmente? Só naquele que não publique horóscopo.

Jaume Perich – *Espanhol (1941-1995) – Humorista, cartunista.*

A imprensa é um exército de 26 soldados de chumbo com o qual se pode conquistar o mundo.

Johann Gutenberg – *Alemão (1397-1468) – Joalheiro, pai da tipografia moderna, que permitiu a popularização da impressão.*

As pessoas pensam que uma notícia impressa em letras grandes deve ser verdadeira.

Jorge Luis Borges – *Argentino (1899-1986) – Poeta, romancista, contista, prêmio Cervantes.*

Os jornais têm a mesma relação com a vida que as cartomantes com a metafísica.

Karl Kraus – *Austríaco (1874-1936) – Jornalista, dramaturgo.*

Nunca deixe a verdade ficar no caminho de uma boa história.

Provérbio jornalístico americano

Nossa liberdade depende da liberdade de imprensa, que não pode ser limitada sem ser perdida.

Thomas Jefferson – *Americano (1743-1826) – 3º presidente (1801-1809).*

O anúncio é a parte mais verdadeira de um jornal.

Thomas Jefferson

Tecnologia

A máquina não isola o homem dos grandes problemas da natureza, mas o insere mais profundamente neles.

Antoine de Saint-Exupéry – *Francês (1900-1944) – Escritor, autor de* O Pequeno Príncipe.

A tecnologia torna as grandes populações possíveis; grandes populações tornam a tecnologia indispensável.

Joseph Wood Krutch – *Americano (1893-1970) – Crítico, ensaísta, professor.*

A ciência diz ao homem apenas o que é possível, não o que é certo.

Milton S. Eisenhower – *Americano (1899-1985) – Jornalista, político, reitor.*

A humanidade está adquirindo toda tecnologia certa pelas razões erradas.

Richard Fuller – *Americano (1895-1983) – Arquiteto, inventor, poeta, filósofo, empresário.*

Tempos modernos

Vanguarda é o que acontece pela primeira vez de vez em quando.

A Dona da História – *(2004) – Filme brasileiro.*

Meios poderosos, mas objetivos confusos: essa é a nossa época.

Albert Einstein – *Alemão (1879-1955) – Um dos físicos mais famosos de todos os tempos, autor da Teoria da Relatividade, prêmio Nobel.*

Cada ano leva-se menos tempo para voar sobre o Atlântico e mais tempo para chegar ao escritório.

Anônimo

O desafio da modernidade é viver sem ilusões, sem se tornar desiludido.

Antonio Gramsci – *Italiano (1891-1937) – Político comunista, filósofo.*

Esse mundo é redondo, mas está ficando muito chato.

Barão de Itararé – *Brasileiro (1895-1971) – Humorista, jornalista, cujo verdadeiro nome é Apparício Torelly.*

Nós estamos no meio de uma corrida entre a habilidade humana quanto aos meios e tolice humana quanto aos fins.

Bertrand Russell – *Galês (1872-1970) – Filósofo, matemático, autor de* A Conquista da Felicidade *e* O Elogio ao Ócio, *entre muitos outros.*

O que foi é o que será; e o que se fez tornará a ser feito: nada há de novo debaixo do sol.

De Eclesiastes 1:9.

Bíblia - Velho Testamento

Nós costumávamos construir civilizações. Agora nós construímos *shoppings*.

Bill Bryson – *Americano (1951-) – Escritor.*

Eu vejo um museu de grandes novidades.

Da canção "O Tempo não Pára".

Cazuza – *Brasileiro (1958-1990) – Compositor, cantor, foi vocalista da banda Barão Vermelho.*

Modernidade é a tensão entre o efêmero e o eterno.

Charles Baudelaire – *Francês (1821-1867) – Poeta, tradutor, autor de* As Flores do Mal.

O mundo está se tornando um asilo de lunáticos dirigido por lunáticos.

David Lloyd George – *Galês (1863-1945) – Estadista.*

O perigo no passado era que os homens virassem escravos. O perigo no futuro é que os homens virem robôs.

Erich Fromm – *Alemão (1900-1980) – Psicanalista, sociólogo.*

Querer ser do seu tempo é estar já ultrapassado.

Eugène Ionesco – *Romeno (1912-1994) – Dramaturgo, criador do chamado Teatro do Absurdo.*

Aquele que não aplicar novos remédios deve-se preparar para novas doenças, pois o tempo é o grande inovador.

Francis Bacon – *Inglês (1561-1626) – Filósofo, escritor, precursor do raciocínio dedutivo.*

Não foi o mundo que piorou. As coberturas jornalísticas é que melhoraram muito.

Gilbert Keith Chesterton – *Inglês (1874-1936) – Romancista, poeta, autor de* Autobiografia, *ensaísta católico nos últimos anos.*

Graças à tecnologia moderna, a História agora vem equipada com um botão de rápido avanço.

Gore Vidal – *Americano (1925-) – Ensaísta, romancista, crítico da política norte-americana.*

A História humana torna-se cada vez mais uma corrida entre a educação e a catástrofe.

H. G. Wells – *Inglês (1866-1944) – Escritor de ficção científica, autor de* 20 Mil Léguas Submarinas.

Hoje em dia, se alguém não está confuso é porque não pensa com clareza.

Irene Peter – *Americana (séc. XX) – Esposa de Laurence Peter, escritora.*

Nós vivemos em uma época em que a *pizza* chega à sua casa antes da polícia.

Jeff Marder – *Americano (contemporâneo) – Humorista, ator.*

Tecnologia: o modo de arrumar o mundo de modo que não precisemos experimentá-lo.

Max Frisch – *Suíço (1911-1991) – Escritor.*

O futuro chega com tal rapidez que chego a desconfiar que, agora, já está atrás de mim.

Millôr Fernandes – *Brasileiro (1924-) – Escritor, cronista, humorista, aforista, tradutor, autor do livro de frases próprias* Millôr Definitivo – A Bíblia do Caos.

Nós vivemos em um arco-íris de caos.

Paul Cézanne – *Francês (1839-1906) – Pintor pós-impressionista.*

Se essa é a idade da informação, por que ninguém sabe nada?

Robert Mankoff – *Americano (contemporâneo) – Cartunista, editor.*

Nós vivemos, apesar de tudo, num mundo em que as ilusões são sagradas e a verdade é descartável.

Tariq Ali – *Paquistanês (1943-) – Historiador, escritor.*

O mais grave no nosso tempo não é não termos respostas para o que perguntamos – é não termos nem mesmo perguntas.

Virgílio Ferreira – *Português (1916-1996) – Romancista, ensaísta, autor de* Manhã Submersa.

O presente está grávido do futuro.

Voltaire – *Francês (1694-1778) – Filósofo iluminista, escritor, autor de* Cândido.

O futuro já chegou. Só não está distribuído ainda.

William Gibson – *Americano (1948-) – Escritor, pai do cyberpunk.*

Nada foi feito de forma tão sistemática como o nada que está se fazendo agora.

Woodrow Wilson – *Americano (1856-1924) – 28º presidente (1913-1920).*

Otimismo x Pessimismo

Eu sou um pessimista pela inteligência e um otimista pela vontade.

Antonio Gramsci – *Italiano (1891-1937) – Político comunista, filósofo.*

O otimista diz que vivemos no melhor de todos os mundos possíveis. O pessimista teme que isso seja verdade.

James Branch Cabell – *Americano (1879-1958) – Romancista, ensaísta.*

O otimista pode errar, mas o pessimista já começa errando.

Juscelino Kubitschek – *Brasileiro (1902-1976) – Presidente (1956-1961).*

O pessimista nada mais é do que um otimista bem informado.

Provérbio tcheco

Otimismo

Eu sou um otimista, mas um otimista que carrega um guarda-chuva.

Harold Wilson – *Inglês (1916-1995) – Estadista, primeiro-ministro trabalhista.*

Um otimista é um cara que acredita que o que está para acontecer será adiado.

Kin Hubbard – *Americano (1868-1930) – Humorista.*

Otimismo perpétuo é perturbador. É sinal de que você não está prestando atenção.

Maureen Dowd – *Americano (1952-) – Colunista do* New York Times, *prêmio Pulitzer.*

Eu sou um otimista. Não me parece muito útil ser outra coisa.

Winston Churchill – *Inglês (1874-1965) – Estadista, primeiro-ministro durante a Segunda Guerra Mundial.*

Pessimismo

Quantos pessimistas terminam por desejar as coisas que temem para provar que estão certos?

Anônimo

As coisas nunca são tão ruins que não possam piorar.

Humphrey Bogart – *Americano (1899-1957) – Famoso ator de cinema, atuou em "Casablanca".*

Não estou tentando predizer o futuro. Estou apenas tentando evitá-lo.

Ray Bradbury – *Americano (1920-) – Escritor de ficção científica e fantasia, autor de "Fahrenheit 451".*

Previsão

Há dois tipos de pessoas que dirão o que irá acontecer no futuro: aqueles que não sabem e aqueles que não sabem que não sabem.

John Kenneth Galbraith – *Canadense (1908-2006) – Economista, escritor, crítico da sociedade americana.*

Quem pensa que sabe o que vai acontecer, é porque deve estar muito mal informado.

Walter Mondale – *Americano (1928-) – Ex-vice-presidente.*

Parte 13

Justiça

Integridade

A integridade não precisa de regras.

Albert Camus – *Francês, de origem argelina (1913-1960) – Escritor, ativista, filósofo existencialista, prêmio Nobel.*

Ambiente limpo não é o que mais se limpa, e sim o que menos se suja.

Chico Xavier – *Brasileiro (1910-2002) – Líder espírita e médium.*

O que é difícil é ser puro como o arroio e grande como o rio.

Concepcion Arenal – *Espanhola (1820-1893) – Escritora, socióloga.*

Honestidade

Para o homem de negócios, mesmo a honestidade é uma especulação financeira.

Charles Baudelaire – *Francês (1821-1867) – Poeta, tradutor, autor de* As Flores do Mal.

Existem duas maneiras de ser honesto. A segunda é ilegal.

Ciro Pellicano – *Brasileiro (contemporâneo) – Publicitário, escritor, autor do livro de frases próprias* A Última Coisa que Pretendo Fazer na Vida é Morrer.

Foi meu pai quem me ensinou o valor da honestidade. Tudo o que eu não tenho devo a ele.

Ciro Pellicano

Honestidade é elogiada e morre de fome.

Décimo Júnio Juvenal – *Romano (55-127) – Poeta satírico, autor de* Sátiras.

Honestidade é uma boa coisa mas não é lucrativa, a não ser que seu possuidor a mantenha sob controle.

Don Marquis – *Americano (1878-1937) – Humorista, jornalista, poeta.*

Sem dinheiro, honra é uma enfermidade.

Jean Racine – *Francês (1639-1699) – Dramaturgo, autor da tragédia* Fedra.

A probidade não tem cúmplices.

Millôr Fernandes – *Brasileiro (1924-) – Escritor, cronista, humorista, aforista, tradutor, autor do livro de frases próprias* Millôr Definitivo – A Bíblia do Caos.

Tem gente que se acha honesta só porque não sabia da mamata.

Millôr Fernandes

Se você é honesto porque pensa que essa é a melhor política, sua honestidade já foi corrompida.

Sydney J. Harris – *Americano, de origem inglesa (1917-1986) – Jornalista, escritor.*

Desonestidade

Não entendo quem escolhe o caminho do crime, quando há tantas maneiras legais de ser desonesto.

Al Capone – *Americano (1899-1947) – Gângster, preso por sonegação fiscal.*

Serviço público é meu lema.

Al Capone

O homem que se vende recebe sempre mais do que vale.

Barão de Itararé – *Brasileiro (1895-1971) – Humorista, jornalista, cujo verdadeiro nome é Apparício Torelly.*

Desonestidade é o abandono da vantagem permanente por uma vantagem temporária.

Christian Bovée – *Americano (1820-1904) – Escritor, advogado.*

O ilegal nós fazemos imediatamente. O inconstitucional leva um pouco mais tempo.

Henry Kissinger – *Americano (1923-) – Político muito influente.*

Criminoso é uma pessoa com instintos predatórios e sem capital para formar uma corporação.

Howard Scott – *Americano (1890-1970) – Empresário.*

O segredo é o emblema da fraude.

John Chadwick – *Inglês (1941-) – Juiz.*

Nós nunca somos tão facilmente enganados quando imaginamos que estamos enganando os outros.

La Rochefoucauld – *Francês (1613-1680) – Escritor, autor de um livro de aforismos,* Máximas.

Se achares três mil-réis, leva-os à polícia; se achares três contos, leva-os a um banco.

Machado de Assis – *Brasileiro (1839-1908) – Escritor, cronista, presidente da ABL.*

Se disserem que o crime não compensa, você tem que lembrar que é porque quando compensa, não é crime.

Millôr Fernandes – *Brasileiro (1924-) – Escritor, cronista, humorista, aforista, tradutor, autor do livro de frases próprias* Millôr Definitivo – A Bíblia do Caos.

Engane-me uma vez, envergonhe-se; engane-me duas vezes, envergonho-me.

Provérbio americano

Quanto mais alto ele apregoava sua honra, mais rapidamente contávamos nossas colheres.

Ralph Waldo Emerson – *Americano (1803-1882) – Poeta, filósofo, ensaísta, autor de* Natureza.

Todo homem tem seu preço.

Robert Walpole – *Inglês (1676-1745) – Estadista.*

Um homem que rouba para mim roubará de mim.

Theodore Roosevelt – *Americano (1858-1919) – 26º presidente (1901-1909).*

Moralidade

Moralidade é a religião na prática; religião é a moralidade em princípio.

Anônimo

A humanidade tem dupla moral: uma que prega mas não pratica, outra que pratica mas não prega.

Bertrand Russell – *Galês (1872-1970) – Filósofo, matemático, autor de* A Conquista da Felicidade *e* O Elogio ao Ócio, *entre muitos outros.*

A verdadeira moral não se importa com a moral.

Blaise Pascal – *Francês (1623-1662) – Matemático, filósofo, pensador cristão, autor de* Pensamentos.

Puritano é aquele que despeja uma indignação justa nas coisas erradas.

Gilbert Keith Chesterton – *Inglês (1874-1936) – Romancista, poeta, autor de* Autobiografia, *ensaísta católico nos últimos anos.*

Indignação moral é ciúme com um halo.

H. G. Wells – *Inglês (1866-1944) – Escritor de ficção científica, autor de* 20 mil léguas submarinas.

Imoralidade: a moralidade daqueles que estão se divertindo mais.

H. L. Mencken – *Americano (1880-1956) – Jornalista, editor, colunista, forte espírito crítico e satírico.*

Nunca deixe sua moral impedir você de fazer o que é certo.

Isaac Asimov – *Americano, de origem russa (1920-1992) – Escritor, autor de ficção científica (como* Eu, robô*) e livros de divulgação científica.*

Ao julgar o caráter, muitas vezes confundimos moralidade com rigidez.

John P. Grier – *Americano, financista.*

Moral é o que sempre exigimos dos outros, mesmo quando não a temos.

Júlio Camargo – *Brasileiro (1928-) – Escritor, jornalista.*

Ah, esses moralistas... Não há nada que empeste mais do que um desinfetante.

Mário Quintana – *Brasileiro (1906-1994) – Poeta, cronista, com visão humanista, autor de* Antologia Poética.

A indignação moral é uma técnica para dotar o tolo com dignidade.

Marshall McLuhan – *Canadense (1911-1980) – Escritor, teórico de Comunicação.*

O problema é como construir um mundo onde pessoas sem ética fazem o menor mal; não como fazer que pessoas éticas façam mais bem.

Milton Friedman – *Americano (1912-) – Economista mais da linha monetarista, prêmio Nobel.*

Talvez seja melhor ser irresponsável e certo do que ser responsável e errado.

Winston Churchill – *Inglês (1874-1965) – Estadista, primeiro-ministro durante a Segunda Guerra Mundial.*

Ética

Ética nada mais é que reverência pela vida.

Albert Schweitzer – *Francês (1875-1965) – Teólogo, médico assistencialista, escritor, prêmio Nobel da Paz.*

Os grandes homens se preocupam com a ética, os pequenos com a etiqueta.

Claude Frisoni – *Luxemburguês (contemporâneo) – Escritor.*

Reconheça sempre que indivíduos são fins e não os use como meios para seu fim.

Immanuel Kant – *Alemão (1724-1804) – Filósofo, autor de* A Crítica da Razão Pura.

Aquele que define sua conduta apenas pela ética aprisiona seu canto de pássaro em uma gaiola.

Kahlil Gibran – *Sírio (1883-1931) – Poeta, escritor, com toques filosóficos, autor de* Areias e Espumas.

O mais difícil não é fazer o que é certo, mas saber o que é certo.

Lyndon Johnson – *Americano (1908-1973) – 36º presidente (1963-1969).*

Você sempre sabe a coisa certa para fazer. A parte difícil é fazê-la.

Norman Schwarzkopf – *Americano (1934-) – General do Exército.*

A ética é a estética de dentro.

Pierre Reverdy – *Francês (1889-1960) – Poeta.*

Tudo que é rigorosamente proibido é ligeiramente permitido.

Roberto Campos – *Brasileiro (1917-2001) – Economista, político, ferino ensaísta e jornalista.*

Liberdade

Nós todos apoiamos a liberdade, mas usamos a mesma palavra e não queremos todos dizer a mesma coisa.

Abraham Lincoln – *Americano (1809-1865) – 6º presidente (1861-1865), lutou contra a escravidão.*

Uma sociedade livre é uma sociedade em que é seguro ser impopular.

Adlai Stevenson – *Americano (1900-1965) – Político do partido democrata, candidato a presidente.*

A liberdade é difícil de se alcançar, mas o que fazer com a liberdade é muito mais difícil.

André Gide – *Francês (1869-1951) – Crítico, ensaísta, romancista, prêmio Nobel.*

A liberdade pertence aos que a conquistam.

André Malraux – *Francês (1901-1976) – Escritor, ativista.*

Defendo ardentemente a liberdade de pensamento e morra aquele que não pense como eu.

Anônimo

Liberdade não é nada senão a distância entre a caça e o caçador.

Bei Dao – *Chinês (1949-) – Poeta.*

A humanidade está cansada da liberdade.

Benito Mussolini – *Italiano (1883-1945) – Ditador fascista que apoiou a Alemanha na Segunda Guerra Mundial.*

A liberdade é defendida em discursos e atacada com metralhadoras.

Carlos Drummond de Andrade – *Brasileiro (1902-1987) – Grande poeta modernista, cronista.*

Quando perdemos o direito de sermos diferentes, perdemos o direito de sermos livres.

Charles Evans Hughes – *Americano (1862-1948) – Estadista, jurista.*

A tirania é sempre mais organizada que a liberdade.

Charles Péguy – *Francês (1873-1914) – Poeta.*

Quando as palavras perdem o significado, as pessoas perdem sua liberdade.

Confúcio – *Chinês (551-479 a.C.) – Filósofo, fundador do Confucionismo, uma religião e filosofia de vida.*

A liberdade é como a poesia, não tem adjetivos, é liberdade.

Enzo Biagi – *Italiano (1920-) – Jornalista, escritor.*

Liberdade significa responsabilidade. É por isso que tanta gente tem medo dela.

George Bernard Shaw – *Americano, de origem irlandesa (1856-1950) – Dramaturgo, prêmio Nobel, autor da peça* Pigmaleão.

Liberdade, quando começa a dar raízes, é uma planta de rápido crescimento.

George Washington – *Americano (1732-1799) – 1º presidente (1789-1797).*

Heresia é outra palavra para liberdade de pensamento.

Graham Greene – *Inglês (1904-1991) – Romancista, contista, dramaturgo.*

A liberdade é o direito a escolher as pessoas que terão obrigação de limitá-la.

Harry Truman – *Americano (1884-1972) – 33º presidente (1945-1953).*

Liberdade é o direito de estar errado e não de fazer errado.

John Diefenbaker – *Canadense (1895-1979) – Político, primeiro-ministro.*

Nada limita mais fortemente a liberdade do cidadão do que a total ausência de dinheiro.

John Kenneth Galbraith – *Canadense (1908-2006) – Economista, escritor, crítico da sociedade americana.*

O preço da liberdade é a eterna vigilância.

John Stuart Mill – *Inglês (1806-1873) – Filósofo, economista.*

Ó liberdade! Quantos crimes se cometem em teu nome!

Frase proferida antes de sua execução, durante a Revolução Francesa.

Madame Roland – *Francesa (1754-1793) – Cronista política, anfitriã de salão literário, escritora.*

Temos três coisas preciosas: liberdade de falar, liberdade de consciência e prudência de nunca praticá-las.

Mark Twain – *Americano (1835-1910) – Escritor, ensaísta, humorista.*

A liberdade de todos é essencial para a minha liberdade.

Mikhail Bakunin – *Russo (1814-1876) – Ativista político, anarquista, escritor.*

Liberdade é o oxigênio do espírito.

Moshe Dayan – *Israelense (1915-1981) – Militar, estadista.*

Liberdade de expressão não dá direito a alguém de gritar "Fogo" em um cinema lotado.

Oliver Wendell Holmes – *Americano (1809-1894) – Escritor, médico.*

A liberdade é como o ar que se respira; só se descobre o valor quando começa a faltar.

Piero Calamandrei – *Italiano (1889-1956) – Político, escritor.*

A liberdade não se concede, se conquista.

Pierre Kropotkine – *Russo (1842-1921) – Príncipe, geógrafo, escritor, anarquista.*

Não tem liberdade quem não tem sede dela.

Rafael Alberti – *Espanhol (1902-1999) – Poeta, pintor.*

Não concordo com o que você diz, mas defenderei até a morte seu direito de dizê-lo.

Comumente atribuída a Voltaire, filósofo iluminista francês.

S. G. Tallentyre – *Inglesa (1868-1919) – Pseudônimo de Beatrice Hall, escritora de uma biografia de Voltaire.*

Uma vez que somos livres para escolher nossas ações, estamos livres para escolher as conseqüências de nossas ações.

Stephen R. Covey – *Americano (1932-) – Empresário, escritor, conferencista, autor de* Os 7 Hábitos das Pessoas Muito Eficazes.

Há apenas uma cura para os males que a liberdade recém-adquirida produz: mais liberdade.

Thomas Macauley – *Inglês (1800-1859) – Estadista, historiador.*

Liberdade ainda que tardia.

Tradução truncada do latim (*Libertas quae sera tamen*) tirada de um poema por membros da Inconfidência Mineira, hoje presente na bandeira de Minas Gerais (final do séc. XVIII).

Virgílio – *Romano (70-19 a.C.) – Poeta, autor de* Eneida.

A liberdade é preciosa. Tão preciosa que deve ser racionada.

Vladimir Lenin – *Russo (1870-1924) – Revolucionário, estadista, líder da Revolução Russa de 1917.*

Enquanto existir o estado, não haverá liberdade. Quando houver liberdade, não haverá estado.

Vladimir Lenin

O preço da liberdade é menor que o preço da repressão.

W. E. B. du Bois – *Americano (1868-1963) – Escritor, ativista político.*

Liberdade é a sua própria recompensa.

Woodrow Wilson – *Americano (1856-1924) – 28º presidente (1913-1920).*

Justiça

Todos os homens nascem iguais, mas essa é a última vez que o são.

Abraham Lincoln – *Americano (1809-1865) – 6º presidente (1861-1865), lutou contra a escravidão.*

A diferença entre um bom advogado e um grande advogado é que aquele conhece as leis e este conhece o juiz.

Anônimo

A justiça pode ser cega, mas tem dispositivos de escuta muito sofisticados.

Anônimo

Justiça é a verdade em ação.

Benjamin Disraeli – *Inglês (1804-1881) – Estadista, primeiro-ministro.*

Bem-aventurados os que têm fome e sede de justiça, porque serão saciados.

De Mateus 5:6.

Bíblia – Novo Testamento

A justiça sem força é impotente, a força sem justiça é tirana.

Blaise Pascal – *Francês (1623-1662) – Matemático, filósofo, pensador cristão, autor de* Pensamentos.

Não sendo possível fortalecer a justiça, justifica-se a força.

Blaise Pascal

A chuva cai sobre o justo e o injusto, mas principalmente sobre o justo, porque o injusto roubou o guarda-chuva do justo.

Charles Bowen – *Inglês (1835-1894) – Juiz.*

Justiça: aquela imparcialidade e igualdade que todos aprovam, enquanto seus próprios interesses não são ameaçados.

Edmund H. Volkart – *Americano (1919-) – Escritor.*

A justiça é a vingança do homem em sociedade, como a vingança é a justiça do homem em estado selvagem.

Epicuro – *Grego (340-270 a.C.) – Filósofo, seu nome deu origem ao termo epicurista.*

A justiça é gratuita, o que custa são os meios de se chegar a ela.

Eugene Brieux – *Francês (1858-1932) – Dramaturgo.*

Se você deseja saber o que é a justiça, deixe a injustiça perseguir você.

Eugenio Maria de Hostos – *Porto-riquenho (1839-1903) – Jornalista, escritor, pedagogo.*

O que tomamos como justiça é, muitas vezes, uma injustiça cometida em nosso favor.

Jean-François Revel – *Francês (1924-2006) – Filósofo, ensaísta sociopolítico.*

É de justiça, e não de caridade, que o mundo precisa.

Mary Woolstonecraft – *Inglesa (1759-1797) – Escritora.*

Aqui também existe a pena de morte, mas só para a vítima.

Max Nunes – *Brasileiro (1922-) – Redator de humor, colaborador do programa "Jô onze e meia".*

Justiça é muito boa para algumas pessoas e não suficientemente boa para o resto.

Norman Douglas – *Escocês (1868-1952) – Romancista, escritor de viagens, ensaísta.*

Aqueles que são a favor da pena de morte têm mais afinidade com assassinos do que aqueles que não são.

Rémy de Gourmont – *Francês (1858-1915) – Romancista, poeta, crítico.*

Um júri é composto de 12 pessoas escolhidas para decidir quem tem o melhor advogado.

Robert Frost – *Americano (1874-1963) – Poeta.*

A força do direito deve superar o direito da força.
Rui Barbosa – *Brasileiro (1849-1923) – Político, advogado.*

Imparcialidade não é neutralidade. É parcialidade por justiça.
Stanislaw Lec – *Polonês (1909-1966) – Escritor, sobrevivente do holocausto nazista.*

Saia do caminho da justiça. Ela é cega.
Stanislaw Lec

Injustiça

O esquecimento é o adubo que nutre a impunidade.
Anônimo

Difícil compreender como no vasto mundo falta espaço precisamente para os pequenos.
Carlos Drummond de Andrade – *Brasileiro (1902-1987) – Grande poeta modernista, cronista.*

A injustiça que se faz a um é uma ameaça que se faz a todos.
Charles de Montesquieu – *Francês (1689-1755) – Filósofo iluminista, autor de* Espírito das Leis.

Estabelecemos regras para os outros e exceções para nós.
Charles Lemesle – *Francês (1731-1814) – Industrial.*

Se você treme de indignação diante de uma injustiça, então somos companheiros.
Che Guevara – *Argentino (1928-1967) – Revolucionário, ajudou Fidel Castro em Cuba.*

Deus não tem o monopólio da onipresença: isso é um privilégio compartilhado pela injustiça.
Christopher Spranger – *Americano (1970-) – Escritor do livro de aforismos* Effort to Fall.

Esperar que o mundo trate você bem porque você é uma boa pessoa é semelhante a esperar que o búfalo não ataque você porque você é vegetariano.
Dennis Wholey – *Americano (1937-) – Escritor, personalidade de TV.*

Quando alguém é ameaçado por uma grande injustiça, aceita-se uma menor como favor.
Jane Carlyle – *Inglesa (1801-1866) – Esposa de Thomas Carlyle por 40 anos.*

Geralmente, um homem é presumido culpado até que prove ser influente.

Laurence J. Peter – *Canadense (1919-1990) – Escritor, humorista, aforista, autor de* O Princípio de Peter.

Os sete pecados capitais responsáveis pelas injustiças sociais são: riqueza sem trabalho; prazer sem escrúpulos; conhecimento sem sabedoria; comércio sem moral; política sem idealismo; religião sem sacrifício; e ciência sem humanismo.

Mahatma Gandhi – *Indiano (1869-1948) – Ativista político, engajou-se pela independência da Índia, tornando-se um símbolo do pacifismo. Seu verdadeiro nome é Mohandas K. Gandhi.*

Não é porque se teme cometê-la, mas é porque se teme sofrê-la, que se condena a injustiça.

Platão – *Grego (428-347 a.C.) – Filósofo, autor de* A República.

Leis

Leis são como teias de aranhas: retêm os pequenos insetos; os grandes as rompem.

Anacarsis – *Cita, povo bárbaro do leste da Europa (séc. VI a.C.) – Filósofo.*

Quando a lei estiver contra nós, devemos argumentar os fatos. Quando os fatos estiverem contra nós, devemos argumentar a lei. Quando a lei e os fatos estiverem contra nós, devemos procurar outro advogado.

Anônimo

A lei é a razão livre da paixão.

Aristóteles – *Grego (384-322 a.C.) – Filósofo que escrevia sobre lógica, ciência, psicologia e política.*

A lei é igual para todos os pobres.

Carlo Dossi – *Italiano (1949-1910) – Escritor.*

Leis inúteis enfraquecem as leis necessárias.

Charles de Montesquieu – *Francês (1689-1755) – Filósofo iluminista, autor de* Espírito das Leis.

As leis, elas sim, podem ser violadas sem que gritem.

Charles Maurice de Talleyrand-Périgord – *Francês (1754-1838) – Político, diplomata.*

Em meio às armas, as leis se calam.

Cícero – *Romano (106-43 a.C.) – Filósofo.*

Somos escravos das leis para podermos ser livres.

Cícero

A lei é como uma cerca: quando é forte, passamos por baixo; quando é fraca, passamos por cima.

Heráclito – *Grego (544-483 a.C.) – Filósofo.*

Não há pior despotismo que o exercido em nome da lei.

Jaime Balmes – *Espanhol (1810-1848) – Filósofo.*

As leis protegem aqueles que têm e vigiam aqueles que nada têm.

Jean-Jacques Rousseau – *Francês (1712-1778) – Filósofo iluminista, autor de* Contrato Social.

Se a natureza tivesse tantas leis quanto o Estado, nem Deus poderia governá-la.

Karl Ludwig Borne – *Alemão (1786-1837) – Escritor, editor.*

É um grande erro pensar que se pode fabricar virtude através de leis.

Lord Bolingbroke – *Inglês (1678-1751) – Historiador.*

As leis se complicam, quando se multiplicam.

Marquês de Maricá – *Brasileiro (1773-1848) – Escritor satírico, seu nome é Mariano Fonseca, autor de* Máximas, Pensamentos e Reflexões.

As leis mantêm-se em vigor não porque são justas, mas por serem leis.

Michel de Montaigne – *Francês (1533-1592) – Filósofo renascentista, autor de* Ensaios.

Quanto menos as pessoas souberem como se fazem as salsichas e as leis, melhor dormirão à noite.

Otto von Bismarck – *Alemão (1814-1898) – Estadista, militar.*

De que valem as leis sem os costumes?

Provérbio latino

As leis que não protegem o nosso adversário não podem nos proteger.

Rui Barbosa – *Brasileiro (1849-1923) – Político, advogado.*

Quanto mais corrupto o regime, mais numerosas as leis.

Tácito – *Romano (56-117 DC) – Historiador.*

Uma das maiores ilusões é a esperança de que o mal nesse mundo será resolvido por leis.

Thomas B. Reed – *Americano (1839-1902) – Congressista.*

Nenhuma sociedade pode fazer uma constituição perpétua, ou sequer uma lei perpétua.

Thomas Jefferson – *Americano (1743-1826) – 3º presidente (1801-1809).*

Por mais inofensivo que alguma coisa seja, se a lei a proíbe, a maioria das pessoas pensarão que ela é errada.

W. Somerset Maugham – *Inglês, de origem francesa (1874-1965) – Escritor, dramaturgo, autor de* O Fio da Navalha.

Onde termina a lei começa a tirania.

William Pitt – *Inglês (1708-1778) – Conde, político.*

Regras

As regras foram feitas para a obediência dos tolos e orientação dos sábios.

David Ogilvy – *Americano (1911-1999) – Executivo de publicidade.*

Aprenda bem as regras e depois as esqueça.

Matsuo Basho – *Japonês (1644-1694) – Poeta.*

Nunca derrube uma cerca até você saber por que ela foi colocada.

Robert Frost – *Americano (1874-1963) – Poeta.*

Direitos

Todos os animais são iguais, mas alguns animais são mais iguais que outros.

George Orwell – *Inglês (1903-1950) – Escritor, autor de* 1984, *que prenunciava um futuro sombrio.*

A igualdade talvez seja um direito, mas não existe poder na Terra que a possa transformar em realidade.

Honoré de Balzac – *Francês (1799-1850) – Escritor, autor de* A Mulher de 30 Anos, *que deu origem ao termo "balzaquiana".*

Se direito adquirido fosse absoluto, a escravidão não teria acabado.

José Genoíno – *Brasileiro (1946-) – Político de São Paulo, renunciou à presidência do PT, ex-guerrilheiro.*

Um direito não é o que alguém dá a você, é o que ninguém pode lhe tirar.

Ramsey Clark – *Americano (1927-) – Advogado-geral dos Estados Unidos.*

O direito a fazer algo não significa que fazê-lo é certo.

William Safire – *Americano (1929-) – Colunista, consultor, escritor de discursos, prêmio Pulitzer.*

Deveres

Dever é o que se exige dos outros.

Alexandre Dumas Filho – *Francês (1824-1895) – Escritor, autor de* A Dama das Camélias.

A honra é a poesia do dever.

Alfred de Vigny – *Francês (1797-1863) – Poeta.*

Em muitos casos fazemos por vaidade ou medo o que não faríamos por dever.

Concepcion Arenal – *Espanhola (1820-1893) – Escritora, socióloga.*

O direito e o dever são como as palmeiras: não dão frutos se não crescem uma ao lado da outra.

Félicité Robert de Lammennais – *Francês (1782-1854) – Escritor.*

Quando um homem estúpido faz algo que o envergonha, diz sempre que estava cumprindo com seu dever.

George Bernard Shaw – *Americano, de origem irlandesa (1856-1950) – Dramaturgo, prêmio Nobel, autor da peça "Pigmaleão".*

Prisão

Nós estamos tão acostumados às nossas correntes que não somos mais conscientes delas?

B. H. Liddell Hart – *Inglês (1895-1970) – Historiador, estrategista militar.*

Um escravo é aquele que espera por alguém mais para libertá-lo.

Ezra Pound – *Americano (1885-1972) – Poeta, crítico.*

A fórmula da prisão é falta de espaço, contraposto com excesso de tempo.

Joseph Brodsky – *Americano, de origem russa (1940-1996) – Poeta, crítico, prêmio Nobel de Literatura.*

As algemas de ouro são piores que as algemas de ferro.

Mahatma Gandhi – *Indiano (1869-1948) – Ativista político, engajou-se pela independência da Índia, tornando-se um símbolo do pacifismo. Seu verdadeiro nome é Mohandas K. Gandhi.*

Embora a jaula possa ser de ouro, não deixa de ser uma prisão.

Provérbio mexicano

Nós todos estamos condenados à prisão solitária dentro de nossa pele, por toda a vida.

Tennessee Williams – *Americano (1911-1983) – Dramaturgo, prêmio Pulitzer, autor de* Um Bonde chamado Desejo.

Crime

Desde que organizado, o crime compensa.

Anônimo

A melhor maneira de ficar em segurança é nunca se sentir seguro.

Benjamin Franklin – *Americano (1706-1790) – Cientista, político, inventor, escritor, aforista, criador do primeiro pára-raios.*

O crime organizado não é nada mais do que uma guerra de guerrilha contra a sociedade.

Lyndon Johnson – *Americano (1908-1973) – 36º presidente (1963-1969).*

Se há um lugar fácil para ter uma quadrilha, é dentro da cadeia, porque ali, teoricamente, só tem marginal.

Sobre a existência de crime organizado em presídios.

Marco Petrelluzzi – *Brasileiro (contemporâneo) – Ex-secretário de Segurança Pública de São Paulo.*

O problema é que o crime é perto. E a justiça mora longe.

Millôr Fernandes – *Brasileiro (1924-) – Escritor, cronista, humorista, aforista, tradutor, autor do livro de frases próprias* Millôr Definitivo – A Bíblia do Caos.

Roube hoje. Amanhã poderá ser ilegal.

Millôr Fernandes

Crime é uma extensão lógica do tipo de comportamento que é freqüentemente considerado perfeitamente respeitável em negócios legítimos.

Robert Rice – *Americano (contemporâneo) – Autor de romances policiais.*

Violência

Combata fogo com fogo e tudo que restará serão cinzas.

Abigail Van Buren – *Americana (1918-) – Colunista, responsável pela coluna popular americana "Dear Abby".*

Eu vivo em uma vizinhança calma. Eles usam silenciadores.

Anônimo

Se ter armas for fora da lei, só foras-da-lei terão armas.

Anônimo

Coloque sua espada no lugar, porque todos aqueles que tomarem a espada morrerão pela espada.

De Mateus 26:52.

Bíblia – Novo Testamento

A violência é o último refúgio dos incompetentes.

Isaac Asimov – *Americano, de origem russa (1920-1992) – Escritor, autor de ficção científica (como* Eu, robô*) e livros de divulgação científica.*

A violência é a retórica de nosso tempo.

José Ortega y Gasset – *Espanhol (1883-1955) – Filósofo.*

Olho por olho e todos nós acabaremos cegos.

Mahatma Gandhi – *Indiano (1869-1948) – Ativista político, engajou-se pela independência da Índia, tornando-se um símbolo do pacifismo. Seu verdadeiro nome é Mohandas K. Gandhi.*

Hoje a escolha não é mais entre violência e não-violência. É entre a não-violência e a não-existência.

Martin Luther King – *Americano (1929-1968) – Líder negro que lutou pela igualdade, prêmio Nobel da Paz.*

A segurança só para alguns é, de fato, a insegurança para todos.

Nelson Mandela – *Sul-africano (1918-) – Político, ex-presidente.*

Nós continuaremos lutando até a violência terminar.

Saul Gorn – *Americano (1912-1992) – Cientista de Computação, professor.*

Este mundo está se tornando tão perigoso que um sujeito pode se dar por feliz se sair dele vivo.

W. C. Fields – *Americano (1880-1946) – Cineasta, humorista, ator.*

Parte 14

Dinheiro & Cia

Finanças

Juros é o custo da impaciência.

Anônimo

Não discuta com o mercado, pois ele é como o tempo: nem sempre bom, mas sempre certo.

Anônimo

Melhor do que roubar um banco é fundar um.

Bertolt Brecht – *Alemão (1898-1956) – Poeta, dramaturgo, autor da peça "Mãe Coragem".*

Dinheiro é como adubo, só é bom quando se espalha.

Francis Bacon – *Inglês (1561-1626) – Filósofo, escritor, precursor do raciocínio dedutivo.*

Renda

A tecnologia moderna é capaz de realizar a produção sem emprego. O diabo é que a economia moderna não consegue inventar o consumo sem salário.

Betinho – *Brasileiro (1935-1997) – Sociólogo, escritor, ativista civil, seu nome real é Herbert de Souza.*

Livre negociação é quando você tem todo o direito de pedir aumento e o patrão tem toda a liberdade de negar.

Jô Soares – *Brasileiro (1938-) – Humorista, romancista, apresentador de TV do programa "Jô onze e meia".*

O Ministério da Saúde adverte: o salário mínimo é prejudicial à saúde.

Pára-choque de caminhão

Trabalho

Essa história de desemprego é conversa de quem não tem o que fazer.

Chico Anísio – *Brasileiro (1931-) – Comediante, artista de TV, criador de dezenas de personagens.*

A taxa de desemprego é de 100% se é você que está desempregado.

David L. Kurtz – *Americano (1941-) – Educador, escritor de livros de negócios.*

Recessão é quando o vizinho perde o emprego; depressão é quando você perde o seu.

Harry Truman – *Americano (1884-1972) – 33º presidente (1945-1953).*

O desemprego deve ser tratado como uma tragédia e não como estatística econômica.

Atribuído.

João Paulo II – *Polonês (1920-2005) – Papa.*

Quando você tem 7% de desempregados, você tem 93% trabalhando.

John Kennedy – *Americano (1917-1963) – 35º presidente (1961-1963); seu assassinato permanece um mistério.*

Economia

Há dois problemas... Os problemas políticos são insolúveis e os econômicos são incompreensíveis.

Alexander Douglas-Home – *Inglês (1903-1995) – Ex-primeiro-ministro da Grã-Bretanha.*

Acelerar a economia demais acaba levando a uma derrapagem.

Armínio Fraga – *Brasileiro (1957-) – Economista, ex-presidente do Banco Central.*

Nesse mundo nada é inevitável, exceto a morte e os impostos.

Benjamin Franklin – *Americano (1706-1790) – Cientista, político, inventor, escritor, aforista, criador do primeiro pára-raios.*

Toda nossa economia é baseada em obsolescência planejada.

Brooks Stevens – *Americano (1911-1995) – Grande* designer *industrial.*

Economia Planejada: quando tudo é incluído nos planos, exceto a economia.

Carey McWilliams – *Americano (1905-1980) – Jornalista.*

Só um economista imagina que um problema de economia é estritamente econômico.

Celso Furtado – *Brasileiro (1920-2004) – Economista renomado, escritor, membro da ABL.*

Se todos os economistas fossem enfileirados, eles não chegariam a uma conclusão.

George Bernard Shaw – *Americano, de origem irlandesa (1856-1950) – Dramaturgo, prêmio Nobel, autor da peça "Pigmaleão".*

Não importa quem governa, o mercado governa.

Henry Ward Beecher – *Americano (1813-1887) – Clérigo, filósofo.*

O comércio do mundo é conduzido pelos fortes e usualmente opera contra os fracos.

Henry Ward Beecher

Se existe tanta crise, é que deve ser bom negócio.

Jô Soares – *Brasileiro (1938-) – Humorista, romancista, apresentador de TV do programa "Jô onze e meia".*

Em economia, é fácil explicar o passado. Mais fácil ainda é predizer o futuro. Difícil é entender o presente.

Joelmir Betting – *Brasileiro (1936-) – Jornalista econômico (jornal e TV).*

Falência é um procedimento legal em que você coloca seu dinheiro nos bolsos da calça e entrega seu casaco aos credores.

Joey Adams – *Americano (1911/1999) – Comediante, escritor.*

A única função das previsões econômicas é fazer a astrologia parecer respeitável.

John Kenneth Galbraith – *Canadense (1908-2006) – Economista, escritor, crítico da sociedade americana.*

Economia é muito útil como uma forma de dar emprego aos economistas.

John Kenneth Galbraith

Um economista é um *expert* que saberá amanhã por que as coisas que ele previu ontem não aconteceram hoje.

Laurence J. Peter – *Canadense (1919-1990) – Escritor, humorista, aforista, autor de* O Princípio de Peter.

Estaria disposto a entender a economia, se me convencessem de que alguém entende.

Luis Fernando Verissimo – *Brasileiro (1936-) – Escritor, redator de TV, cronista, humorista.*

Inflação é a única forma de taxação que pode ser imposta sem legislação.

Milton Friedman – *Americano (1912-) – Economista mais da linha monetarista, prêmio Nobel.*

A economia é apenas a arte de alcançar a miséria com o auxílio da estatística.

Roberto Campos – *Brasileiro (1917-2001) – Economista, político, ferino ensaísta e jornalista.*

Congelamento de preços é como ditadura: fácil de entrar e difícil de sair.

Roberto Campos

Inflação é a arte de falsificar moeda por conta do estado.

Sofocleto – *Peruano (1926-2004) – Escritor humorista, aforista, jornalista.*

As mesmas pessoas que riem dos ciganos que lêem a sorte levam a sério os economistas.

The Cincinnati Enquirer – *Jornal regional americano.*

Pensamentos econômicos

O capital é como água, sempre flui por onde encontra menos obstáculos.

Delfim Netto – *Brasileiro (1928-) – Economista, deputado, ministro de vários governos militares.*

Nenhum candidato pode lutar contra a globalização. Seria como lutar contra o clima.

Dick Morris – *Americano (1948-) – Jornalista, comentarista de TV, ex-assessor de Clinton.*

Não temos de ter medo da globalização. Temos de ter competência para nos inserir.

Fernando Henrique Cardoso – *Brasileiro (1931-) – Sociólogo, escritor, político, presidente do Brasil (1994-1998 e 1998-2002).*

As sanções são como queijo suíço, ou seja, elas não são muito efetivas.

George W. Bush – *Americano (1946-) – 43º presidente (2001-). Ocupou o Iraque e o Afeganistão, após o atentado ao World Trade Center em setembro de 2001.*

Só um passo separa a estabilidade da estagnação.

Jacques Mailhot – *Francês (1949-) – Locutor, jornalista.*

A moratória não é uma prova de força do governo. A única coisa que ela mostra é que o governo está falido.

Sobre a moratória decretada em 1987 no governo Sarney.

Luiz Inácio Lula da Silva – *Brasileiro (1945-) – Político, fundador do PT, atual presidente do Brasil, desde 2003.*

Capital estrangeiro é como o vento. Só entra onde tem saída.

Malcolm Forbes – *Americano (1919-1990) – Empresário, criador da revista de negócios* Forbes.

O que deve ser globalizado é a civilização e não o capital.

Perry Anderson – *Inglês (1938-) – Historiador, sociólogo.*

O uso da energia solar não se consolidou porque a indústria do petróleo não possui o sol.

Ralph Nader – *Americano (1934-) – Político, envolvido com organizações de defesa do consumidor.*

O que o nosso país realmente precisa mais são coisas que o dinheiro não pode comprar.

William J. H. Boetcker – *Americano, de origem alemã (1873-1962) – Reverendo presbiteriano, escritor.*

O capital é um animal muito sensível e vai se alimentar onde se sente melhor protegido.

Wolfgang Sauer – *Alemão, radicado no Brasil (1930-) – Ex-presidente da Volkswagen, consultor.*

Consumo

As coisas que possuímos nos possuem.

Alexander Lowen – *Americano (1910-) – Psicólogo, fundador da Bioenergética.*

Não há crise de combustível, há excesso de automóveis.

Júlio Camargo – *Brasileiro (1928-) – Escritor, jornalista.*

Somos estranhos. Passamos a vida fazendo coisas que detestamos para ganhar dinheiro para comprar coisas que não precisamos e impressionar pessoas que não nos interessam.

Laurence J. Peter – *Canadense (1919-1990) – Escritor, humorista, aforista, autor de* O Princípio de Peter.

Há bastante no mundo para as necessidades do homem, mas não para a sua cobiça.

Mahatma Gandhi – *Indiano (1869-1948) – Ativista político, engajou-se pela independência da Índia, tornando-se um símbolo do pacifismo. Seu verdadeiro nome é Mohandas K. Gandhi.*

Nós vivemos em um mundo onde o que nós chamamos de bonito é apenas algo à venda.

Da canção "Beautiful".

Marillion – *Inglês (1982-) – Grupo de rock inglês.*

Quem tem, é.

Provérbio italiano

Vivemos num tempo em que nada é tão indispensável quanto as coisas supérfluas.

Sofocleto – *Peruano (1926-2004) – Escritor humorista, aforista, jornalista.*

A natureza fornece almoço grátis, mas só se controlarmos nosso apetite.

William Ruckelshaus – *Americano (1932-) – Dirigente ambientalista.*

Elites

Há falta de educação em todo lugar, mas aristocracia é a falta de educação organizada.

Henry James – *Americano (1843-1916) – Romancista, contista, crítico.*

Riqueza

A real medida de sua riqueza é quanto você valeria se perdesse todo o seu dinheiro.

Anônimo

A riqueza é como a água salgada: quanto mais se bebe, mais sede se tem.

Anônimo

A única coisa que a riqueza faz para algumas pessoas é fazê-las se preocupar em perdê-la.

Antoine Rivarol – *Francês (1753-1801) – Jornalista.*

Quando alguém te diz que ficou rico pelo trabalho duro, pergunte a ele: "De quem?".

Don Marquis – *Americano (1878-1937) – Humorista, jornalista, poeta.*

Algumas pessoas pensam que valem muito dinheiro só porque elas o têm.

Fannie Hurst – *Americana (1889-1968) – Roteirista, escritora de* best-sellers, *autora de* A Esquina do Pecado.

A desgraça de ser rico é que você tem que conviver com pessoas ricas.

Logan Pearsall Smith – *Americano (1865-1946) – Ensaísta, crítico.*

Riqueza x Pobreza

Um idiota pobre é um idiota, um idiota rico é um rico.

Afrânio Peixoto – *Brasileiro (1876-1947) – Romancista, ensaísta, político.*

O rico é o espetáculo predileto dos pobres.

Mário Quintana – *Brasileiro (1906-1994) – Poeta, cronista, com visão humanista, autor de* Antologia Poética.

Pobres têm mais filhos, ricos têm mais parentes.

Provérbio americano

Um homem rico é simplesmente um homem pobre com dinheiro.

W. C. Fields – *Americano (1880-1946) – Cineasta, humorista, ator.*

Pobreza

A pobreza é o pai da revolução e do crime.

Aristóteles – *Grego (384-322 a.C.) – Filósofo que escrevia sobre lógica, ciência, psicologia e política.*

Pobre, quando mete a mão no bolso, só tira os cinco dedos.

Barão de Itararé – *Brasileiro (1895-1971) – Humorista, jornalista, cujo verdadeiro nome é Apparício Torelly.*

Quando pobre come frango, um dos dois está doente.

Barão de Itararé

Deve ser bom ser pobre. Há tantos!

Bob Hope – *Americano, de origem inglesa (1903-2003) – Comediante, ator.*

Não somente é mais fácil entrar um pobre no céu, como também ele tem muito mais chances de fazê-lo antes.

Jaume Perich – *Espanhol (1941-1995) – Humorista, cartunista.*

O povo gosta de luxo; quem gosta de miséria é intelectual.

Joãosinho Trinta – *Brasileiro (1933-) – Carnavalesco que atua no Rio de Janeiro.*

Pobre é a pessoa cujos prazeres dependem da permissão de outra.

Madonna – *Americana (1958-) – Cantora pop de fama internacional, atriz.*

Ser pobre não é crime, mas ajuda a chegar lá.

Millôr Fernandes – *Brasileiro (1924-) – Escritor, cronista, humorista, aforista, tradutor, autor do livro de frases próprias* Millôr Definitivo – A Bíblia do Caos.

Fome

Um homem com fome não é um homem livre.

Adlai Stevenson – *Americano (1900-1965) – Político do partido democrata, candidato a presidente.*

É difícil para um saco vazio ficar em pé.

Benjamin Franklin – *Americano (1706-1790) – Cientista, político, inventor, escritor, aforista, criador do primeiro pára-raios.*

Quem tem fome tem pressa.

Betinho – *Brasileiro (1935-1997) – Sociólogo, escritor, ativista civil, seu nome real é Herbert de Souza.*

Metade da humanidade passa fome. A outra metade faz regime.

Joelmir Betting – *Brasileiro (1936-) – Jornalista econômico (jornal e TV).*

O pior não é morrer de fome num deserto: é não ter o que comer na terra prometida.

José Lins do Rego – *Brasileiro (1901-1975) – Escritor regionalista, autor de* Fogo Morto.

Solidariedade

O bem é aquele que trabalha pela unidade, o mal é aquele que trabalha pela separação.

Aldous Huxley – *Inglês (1894-1963) – Romancista, ensaísta, autor de* Admirável Mundo Novo.

Assistência social é um *band-aid* nas feridas infeccionadas da sociedade.

Alexander Chase – *Americano (1926-) – Jornalista, editor.*

Só o egoísmo e o ódio têm pátria; a fraternidade não.

Alphonse de Lamartine – *Francês (1790-1869) – Poeta.*

Cada um é responsável por todos.

Antoine de Saint-Exupéry – *Francês (1900-1944) – Escritor, autor de* O Pequeno Príncipe.

Nós e eles não existe, há apenas nós.

Arthur Miller – *Americano (1915-2005) – Dramaturgo, prêmio Pulitzer, autor de* Morte de um Vendedor.

Precisamos de muito pouca coisa. Só uns dos outros.

Carlito Maia – *Brasileiro (1924-2002) – Publicitário, escritor.*

Não temos em nossas mãos as soluções para todos os problemas do mundo, mas diante de todos os problemas do mundo temos nossas mãos.

Friedrich von Schiller – *Alemão (1759-1805) – Poeta, dramaturgo.*

Existir é coexistir.

Gabriel Marcel – *Francês (1889-1973) – Escritor.*

Os outros somos nós.

Georges Bernanos – *Francês (1888-1948) – Escritor.*

Quando a casa do vizinho está pegando fogo, a minha casa está em perigo.

Horácio – *Romano (65-8 a.C.) – Poeta.*

Se uma sociedade livre não puder ajudar os muitos pobres, não poderá salvar os pouco ricos.

John Kennedy – *Americano (1917-1963) – 35º presidente (1961-1963); seu assassinato permanece um mistério.*

De cada um, de acordo com suas habilidades; a cada um, de acordo com suas necessidades.

Freqüentemente atribuído a Karl Marx.

Louis Blanc – *Francês (1811-1882) – Teórico socialista.*

Todos nós somos muitos.

Lya Luft – *Brasileira (1938-) – Tradutora, poetisa, escritora.*

Quando fazemos o que podemos, fazemos o que devemos.

Madeleine de Scudéry – *Francesa (1607-1701) – Romancista.*

Sei que meu trabalho é uma gota no oceano, mas sem ele, o oceano seria menor.

Madre Teresa de Calcutá – *Albanesa (1910-1997) – Missionária, benfeitora, prêmio Nobel da Paz, atuou na Índia.*

O melhor meio de guardar boas ações na memória é refrescá-la com novas.

Marcus Cato – *Romano (234-149 a.C.) – Estadista, historiador.*

Devemos aprender a conviver juntos como irmãos ou pereceremos juntos como tolos.

Martin Luther King – *Americano (1929-1968) – Líder negro que lutou pela igualdade, prêmio Nobel da Paz.*

Nós que temos voz devemos falar pelos que não têm.

Oscar Romero – *Salvadorenho (1917-1980) – Arcebispo.*

Dê um peixe a um homem e ele comerá por um dia; ensine um homem a pescar e ele comerá por toda a vida.

Provérbio chinês

Se você quer manter limpa a sua cidade, comece varrendo diante de sua casa.

Provérbio chinês

Comece fazendo o necessário, faça depois o que for possível e de repente estarás fazendo o impossível.

São Francisco de Assis – *Italiano (1181-1226) – Religioso.*

Ajudar os outros é o aluguel que você paga pelo seu quarto aqui na Terra.

Shirley Chisholm – *Americana (1924-2005) – Política e ativista negra.*

O maior de todos os erros é não fazer nada porque você só pode fazer um pouco.

Sydney Smith – *Inglês (1771-1845) – Pregador, político.*

Faça o que puder, com o que tem, onde estiver.

Theodore Roosevelt – *Americano (1858-1919) – 26º presidente (1901-1909).*

Sempre que você fizer algo, mesmo que ninguém venha a saber, faça como se o mundo estivesse olhando para você.

Thomas Jefferson – *Americano (1743-1826) – 3º presidente (1801-1809).*

A verdadeira política consiste simplesmente em tentar ajudar o próximo.

Vaclav Havel – *Tcheco (1936-) – Ex-presidente, dramaturgo, escritor.*

Se você tem conhecimento, deixe os outros acenderem suas velas com ele.

Winston Churchill – *Inglês (1874-1965) – Estadista, primeiro-ministro durante a Segunda Guerra Mundial.*

Dinheiro

O dinheiro não somente fala, ele também impõe o silêncio.

Aldous Huxley – *Inglês (1894-1963) – Romancista, ensaísta, autor de* Admirável Mundo Novo.

Administrar dinheiro é fácil. Difícil é administrar a falta dele.

Anônimo

Dinheiro é a raiz de todos os males. Envie R$20,00 para mais informações.

Anônimo

Dinheiro não traz felicidade. Dê-me o seu e seja feliz.

Anônimo

O dinheiro não é tudo e, muitas vezes, não é nem mesmo suficiente.

Anônimo

Para mim, dinheiro não significa nada... quando não está comigo.

Anônimo

Quando um homem com dinheiro encontra um homem com experiência, este fica com o dinheiro e aquele com a experiência.

Anônimo

Dinheiro é como água do mar: quanto mais você toma, maior é sua sede.

Arthur Schopenhauer – *Alemão (1788-1860) – Filósofo, escritor.*

Fabrica-se tudo com dinheiro, menos homens.

Auguste Detoeuf – *Francês (1883-1947) – Industrial, ensaísta.*

Tempo é dinheiro.

Benjamin Franklin – *Americano (1706-1790) – Cientista, político, inventor, escritor, aforista, criador do primeiro pára-raios.*

A força da grana que ergue e destrói coisas belas.

Da canção "Sampa".

Caetano Veloso – *Brasileiro (1942-) – Cantor, compositor da MPB, autor de muitos sucessos.*

Dinheiro: chave universal que abre todos os cadeados.

Calderón de la Barca – *Espanhol (1600-1681) – Dramaturgo, autor de* A Vida é um Sonho.

Dinheiro é como a eletricidade: beneficia os prudentes, fulmina os insensatos.

Dinamor – *Brasileiro – Poeta, frasista.*

Se o dinheiro não for teu criado, ele será o teu mestre.

Francis Bacon – *Inglês (1561-1626) – Filósofo, escritor, precursor do raciocínio dedutivo.*

O dispositivo mais eficiente para economizar trabalho ainda é o dinheiro.

Franklin P. Jones – *Americano (1887-1929) – Empresário.*

É bom ter dinheiro e as coisas que o dinheiro pode comprar, mas é bom verificar se não estamos perdendo as coisas que o dinheiro não pode comprar.

George Horace Lorimer – *Americano (1868-1937) – Editor, jornalista.*

O que é importante não é se você está certo ou errado, mas quanto dinheiro você faz quando está certo e quanto dinheiro você perde quando está errado.

George Soros – *Americano, de origem húngara (1930-) – Financista, escritor.*

O dinheiro que você ganha vale o preço que você paga?

Graham Nash – *Inglês, radicado nos Estados Unidos (1942-) – Cantor, compositor, participou dos "Hollies" e da banda Crosby, Still, Nash & Young.*

Há tantas coisas na vida mais importantes que o dinheiro, mas custam tanto!

Groucho Marx – *Americano (1895-1977) – Comediante, ator, líder do grupo* Irmãos Marx, *realizou muitos filmes.*

Se fizeres do dinheiro o teu Deus, ele te atormentará como o demônio.

Henry Fielding – *Inglês (1707-1754) – Romancista, dramaturgo, autor de* Tom Jones.

Um tolo e seu dinheiro logo se separam.

James Howell – *Galês (1593-1666) – Historiador, ensaísta, político.*

Por que resta tanto mês no final do dinheiro?

John Barrymore – *Americano (1882-1942) – Ator.*

Quando alguém lhe disser que não é uma questão de dinheiro, mas de princípio, trata-se de uma questão de dinheiro.

Kin Hubbard – *Americano (1868-1930) – Humorista.*

Moedas não caem do céu. Elas têm que ser ganhas na Terra.

Margaret Thatcher – *Inglesa (1925-) – Estadista, primeira-ministra (1979-1990).*

O que o dinheiro faz por nós não é nada em comparação com o que a gente faz por ele.

Millôr Fernandes – *Brasileiro (1924-) – Escritor, cronista, humorista, aforista, tradutor, autor do livro de frases próprias* Millôr Definitivo – A Bíblia do Caos.

Nenhum homem é rico o suficiente para comprar seu passado.

Oscar Wilde – *Irlandês (1854-1900) – Poeta e dramaturgo, autor de* O Retrato de Dorian Gray, *frasista.*

Quando eu era jovem, pensava que o dinheiro era a coisa mais importante da vida. Hoje, tenho certeza.

Oscar Wilde

Dinheiro na mão é solução e solidão.

Da canção "Pecado Capital".

Paulinho da Viola – *Brasileiro (1942-) – Cantor, compositor, sambista.*

Se você não usa sua cabeça, usará seu bolso.

Provérbio belga

É preferível ser dono de uma moeda do que escravo de duas.

Provérbio grego

Ter dinheiro é bom, mandar no dinheiro é melhor ainda.

Provérbio judaico

É fácil ser generoso com o dinheiro dos outros.

Provérbio latino

Quando o dinheiro fala, a verdade cala.

Provérbio russo

Dinheiro freqüentemente custa muito.

Ralph Waldo Emerson – *Americano (1803-1882) – Poeta, filósofo, ensaísta, autor de* Natureza.

Hoje, ter ou não ter dinheiro é ser ou não ser: eis o problema.

Ramón de Campoamor – *Espanhol (1817-1901) – Poeta.*

Há muitos modos de ganhar dinheiro, mas só um de gastar: gastar menos do que se ganha.

Renato Kehl – *Brasileiro (séc. XX) – Médico, eugenista.*

Tudo que eu peço é uma chance de provar que o dinheiro não me fará feliz.

Spike Milligan – *Indiano (1918-2002) – Escritor cômico de livros, rádio e TV, radicado na Inglaterra.*

Estou cansado de homenagens; eu quero o dinheiro.

Thomas Wolfe – *Americano (1900-1938) – Romancista, contista.*

Dinheiro não tem a mínima importância, desde que a gente tenha muito.

Truman Capote – *Americano (1924-1984) – Escritor, autor do romance criminal* A Sangue Frio.

Dinheiro é bom, mas certifique-se sempre de quem é dono de quem.

Victor Hugo – *Francês (1802-1885) – Escritor, autor de* Os Miseráveis.

Quando se trata de dinheiro, todo mundo é da mesma religião.

Voltaire – *Francês (1694-1778) – Filósofo iluminista, escritor, autor de* Cândido.

Se você toma uma decisão apenas baseada em dinheiro, você tomou uma má decisão.

Walter C. Meloon – *Americano (1893-1974) – Empresário.*

Por que roubar bancos? É lá que o dinheiro está.

Ele negou a autoria e atribuiu a algum repórter que escreveu sobre ele.

Willie Sutton – *Americano (1901-1980) – Ladrão de bancos.*

Dinheiro é melhor do que pobreza, nem que seja apenas por razões financeiras.

Woody Allen – *Americano (1935-) – Cineasta, autor de muitas comédias de sucesso.*

Índice dos autores

C

D

E

F

G

T

V

Referências bibliográficas

- Avantajado Livro de Pensamentos, O – Casseta e Planeta – Objetiva – 2001
- Brasil em Mil Frases – Maurício Stycer – Publifolha – 1996
- Carnival of Wit – Leo Rosten – Plume – 1994
- Citações – Luc Boyer e Romain Bureau – Nobel – 1996 (traduzido do Francês)
- Colossal Collection of "Quotable" Quotes – Bathroom Readers Institute – Bathroom Readers Press – 2004
- Dicionário das Citações – Ettore Barelli e Sergio Pennacchietti – Martins Fontes – 2001 – (traduzido do Italiano).
- Dicionário Universal Nova Fronteira de Citações – Paulo Rónai – Editora Nova Fronteira – 1986
- Dictionnaire des Citations Françaises – Robert Carlier – Larousse – 2001 – (em Francês)
- 12 Mil Frases – Dualibi das Citações – Roberto Dualibi – Arx – 2003
- Farmácia de Pensamentos – Sonia Aguiar – Relume Dumará – 2000
- Folclore Político – Sebastião Nery – Geração – 2002
- Frases Geniais que você gostaria de ter dito – Paulo Buchsbaum – Ediouro – 2004
- Frases Mal Ditas – Legrand – Soler – 2004
- George W. Bushisms: The Slate Book of The Accidental Wit and Wisdom of our 43rd President – Jacob Weisberg – 2001
- Harper Book of Quotations, The – Robert I. Fitzhenry – HarperCollins – 1993
- Insultos Impressos – Isabel Lustosa – Companhia das Letras – 2000
- International Thesaurus of Quotations, The – Eugene Ehrlich e Marshall DeBruhl – Harper Collins – 1996
- Mammoth Book of Humor – Carrol & Graf – 2003
- Mau Humor – Ruy Castro – Companhia das Letras – 2002
- Melhor do Mau Humor, O – Ruy Castro – Companhia das Letras –1998

- Millôr Definitivo – A Bíblia do Caos – L & PM – 2000
- More George W. Bushisms: More of Slate's Accidental Wit and Wisdom of Our 43rd President – Jacob Weisberg – 2002
- Oxford Dictionary of Politic Quotations, The – Antony Jay – Oxford University Press – 2006
- Penguin Thesaurus of Quotations, The – M. J. Cohen – Penguin Books – 2000
- Quotable Quotes – Reader's Digest – 1997
- Quotationary – Leonard Roy Frank – Random House – 1999
- Veja – Revistas de 1984 a 2006
- 21st Century Dictionary of Quotations – The Princenton Language Institute – 1993
- 3.000 dias no Bunker – Guilherme Fiuza – Record – 2006
- 2548 Best Things Anybody Ever Said – Robert Byrne – Simon & Schuster – 2003
- They Never Said It: A Book of Fake Quotes, Misquotes, and Misleading Attributions – Paul F. Boller, John George – 1990
- Viagens com o Presidente – Eduardo Scolese e Leonencio Nossa – Record – 2006

Webgrafia

O universo da Internet é tão amplo que aqui são citados apenas alguns dos *sites* que foram mais significativos para este trabalho.

Sites em Inglês

- BeMoreCreative – http://www.bemorecreative.com
- Brainyquote – http://www.brainyquote.com/ –
- Complete Bushisms, The http://www.slate.com/id/76886/
- FamousQuotes.com – http://famousquotes.com/
- Giga Quote http://www.giga-usa.com/gigaweb1/quotes.htm
- Quotations Page http://www.quotationspage.com
- Wikipedia – Enciclopédia http://en.wikipedia.org/wiki/Wikipedia
- Wikiquote – Site de citações da linha do Wikipedia
  http://en.wikiquote.org/wiki/Main_Page

Sites em Português

- Castel-o-rama – Site de humor http://www.castelorama.com.br
- Bacaninha – Seção de Frases – http://www.bacaninha.com
- Bíblia online http://www.bibliaonline.com.br/
- Brasil News – Seção de Frases – http://www.brasilnews.com.br/
- Clipping do Ministério do Planejamento http://clipping.planejamento.gov.br/
- Educaterra – Frases de Política Brasileira
  http://educaterra.terra.com.br/almanaque/aula/frases.htm
- Frases do Brizola http://www.pdt.org.br/personalidades/oglobo4.asp
- Farmácia de Pensamentos – http://www.farmaciadepensamentos.com
- Frases Famosas http://www.frasesfamosas.com.br

- Independência do Brasil http://www.novomilenio.inf.br/santos/h0175b.htm – 7/93
- Pensador.info http://www.pensador.info/
- Portal do Humor – http://www.portaldohumor.com.br/cont/categ/13/Piadas-de-Politicos.html
- Radiobrás – Clippings http://www.radiobras.gov.br/sinopses.htm
- Wikipedia – Enciclopédia http://pt.wikipedia.org/
- Wikiquote – http://pt.wikiquote.org/wiki

Outras Línguas

- Citations du Monde http://www.evene.fr/citations – Francês
- 1001 Aphorismen – http://www.aphorismen.de/ – Alemão
- Citazioni – http://www.citazioni.tk/ – Italiano
- Proverbia – http://www.proverbia.net – Espanhol

Leia também

Em *Frases geniais que você gostaria de ter dito*, Paulo Buchsbaum reúne quase 4 mil frases, as melhores, mais inteligentes, criativas, engraçadas, profundas e surpreendentes que você já leu. Em um trabalho que consumiu três anos de pesquisa, o autor faz uma seleção criteriosa a partir de dezenas de milhares de frases.

Citações, máximas, reflexões, provérbios e ditos espirituosos – as pérolas reunidas em *Frases geniais* foram criadas por mais de 1.600 autores das mais variadas áreas, épocas e lugares. São escritores, religiosos, filósofos, poetas, industriais, aventureiros, publicitários, em um leque que vai de Aristóteles a Woody Allen, do Bhagavad Gita a Renato Russo.

Este livro foi composto em AGaramond
e impresso pela Ediouro Gráfica sobre
papel off-set 75g para a Ediouro
em outubro de 2006.